All About Jembe

Everything you need to know to start playing now!

Kalani

すぐにわかるジェンベの世界

オール・アバウト・ジェンベ

Printed in Japan.

ATN, inc.

もくじ

本書で使われているカタカナ表記について

本書では、人名や楽器名など原語での発音が困難なものが多く、できる限りカタカナで表記し、原語も併記しました。すでに一般的となっている人名・地名などはカタカナ表記としましたが、本書で使用したカタカナ表記に関しまして、読者の皆さまにご意見をお寄せいただき、今後さらに適切な表記にしていく所存です。

映像コンテンツ（付属ヴィジュアルCD）

マリ・ウィーヴ・チューニング
ベース・トーン
オープン・トーン
スラップ・トーン
Kassa - Layered Parts
Kassa - Jembe 1
Kassa - Jembe 2
Kassa - Kenkeni
Kassa - Sangba
Kassa - Dundunba
Kassa - Ensemble
Dansa - Layered Parts
Dansa - Jembe 1
Dansa - Jembe 2
Dansa - Kenkeni
Dansa - Sangbe
Dansa - Dundunba
Dansa - Ensemble
Dundunba - Layered Parts
Dundunba - Jembe 1
Dundunba - Jembe 2
Dundunba - Kenkeni
Dundunba - Sangba
Dundunba - Dundunba
Dundunba - Ensemble

付属CDについて

楽しみが倍増するマルチメディア学習ツールであるAll About Jembe CDは、オーディオ/ビジュアルCDです。CDには、本書で説明されているすべてのリズムとテクニック、チューニング・インストラクションのオーディオ・トラックと映像が収録されています。通常のCDプレイヤーで再生すると、演奏を聞くことができ、そしてWindowsまたはMacintoshコンピュータでは、演奏の映像を観ることができます。

はじめに

ジェンベは、1991年に出会って以来、私のお気に入りの楽器となりました。多様性に満ちた使い方ができるだけでなく、長い伝統をもつ音楽や文化をもつ楽器だからです。私が西アフリカ出身の先生たちに師事し、ジェンベ音楽をさらに学んでいたちょうどその頃、世界中の人びとがジェンベを勉強するようになっていきました。いまではジェンベは世界中でもっとも人気のあるハンド･ドラムとなり、私の仲間であるミュージシャンたち、バンド･ディレクター、プロデューサー、作曲家、音楽教師、学生、*1レクリエーショナル･ドラマーにとって、パーカッション･ファミリーの重要な楽器として認められています。

本書は、ジェンベの多くの側面を知りたいと思うすべての人のための、一般的なガイドブックです。音楽教師にとっては、レッスンの中で、学習と演奏の両方で利用できます。音楽を学ぶ学生も一般的な音楽的意味で本書を活用できますし、またテクニックの一部は他の楽器や音楽に応用することも可能です。友人や音楽の仲間などのグループにおいては、ジェンベを基礎としたアンサンブルは、自己表現とチームワーク･スキル両面で社会的体験であることに気がつくでしょう。レクリエーショナル･ドラマーやドラムサークル･ファシリテーターは、さまざまなアンサンブルの創り方やリズムという概念の基本を学ぶことができます。あなたを本書に引きつけたのがジェンベのどのような側面であったとしても、本書は、上記のような多様な要素を包括的にとらえたものであり、さらなる学習への一歩となるでしょう。

私は、本書を、自分自身が西アフリカ文化を代表する者として書いたわけではありません。しかし教育者として、プロデューサーとして、長年の研究や経験を得てきた私は、さまざまな年齢の人や興味をもつ人たちにとってわかりやすく、バランスがとれて的確な、たくさんの知識を提供することができます。そこで本書では、ジェンベの多くの要素のうち代表的なものを紹介し、なおかつ柔軟でコンテンポラリーなアプローチをするように、最大限の努力を払いました。本書での私の役割は、学ぶという旅をする者として、これまで*2マスター･ドラマーたちに学び、より深い知識を得ようとする人びとのための扉を示すことです。西アフリカの音楽や文化については、たくさんの先生方がいますし、情報源があります。本書はそれに向けての第一歩なのです。

最後に、ジェンベについてさらに知りたいと一歩を踏み出したあなたに、エールを送りたいと思います。ジェンベに限らず、過去や現在の知識を学ぶにつれ、私たちは他の人びとの情報源となっていきます。あなた自身も将来、ハンド･ドラムを学びたいと希求している他の人たちに、その知識を伝える役割を担うかもしれません。私も含めそのような役割を担う人びとが、もともとその文化を伝えてきた西アフリカの先生方を崇敬し、打楽器を学ぶ生徒たちに伝え、感謝しつづけることを願ってやみません。

Kalani

Jembeの表記について

日本では「ジャンベ」と表記されることが多いが、西アフリカ、ヨーロッパ、アメリカなどではより「ジェンベ」または「ジンベ」に近い発音で呼ばれることが多いため、本書では**ジェンベ**という表記を採用した。

*1 recreational drummer : 欧米で増えつつある、趣味で打楽器をたたく人の総称。ドラムサークルやフリードラミング等に参加することも多い
*2 master drummer : 名人や巨匠ドラマーのこと。特に、その特定文化で尊敬されるドラマーのこと

著者について

*Kalani*は、これまでにコンガ、ボンゴ、ジェンベ、ハンド・パーカッション、ドラムセットを含む15以上の各種教則ビデオを制作/プロデュースしてきました。また自作のオリジナル曲を収録した音楽CDを３枚プロデュースしています。また、さまざまなハンド・ドラムとドラムセットに関するオンライン・ドラム・レッスン、楽器百科、アーチスト・インタビュー、メンバー・フォーラムその他の情報源満載のドラマーのための教育的ウェブサイト、DrumLesson.comの創設者でもあります。

DrumLesson.comはNew York TimesやCNN Liveでも採り上げられています。さらに、打楽器を学ぶ生徒、教師、各種グループ、打楽器愛好家など年齢やレベルを超えて参加できるマルチカルチャーのイベントDrum Campのディレクターを務めています（Drum Campのスケジュールは、DrumCamp.com）。

*Kalani*は、*Kenny Loggins*、*David Sanborn*、*Max Roach*、*Barry Manilow*、*Vic Damone*、*John Mayall*、*Chante Moore*、*Dr. John*、*Jeff Porcaro*、*Michael Kamen*、*Melissa Manchester*などの伝説的アーチストと共演し、レコーディングに参加しています。1993年には、数百万枚を売った*Yanni : Live at the Acropolisビデオ＆CDのパーカッショニストとしてフィーチャーされ、何百万人の人びとにジェンベという楽器を紹介しました。また、Disney、Warner Bros.、Tri-Star、20the Century Fox、Universal、The Nature Company、Jim Hensen Recordsなど、多くのメジャーなスタジオで、映画やテレビのサウンド・トラック演奏に参加しています。

*Kalani*は、米国内および海外ではたくさんの参加者を対象に、数百回のワークショップやドラムサークルを行い、南カリフォルニア大学（USC）、カリフォルニア州立大学ノースリッジ校、ミズーリ大学カンザスシティ校、中央ミズーリ州立大学、カリフォルニア大学ロサンジェルス校（UCLA）、ミズーリ大学コロンビア校、カリフォルニア州立大学ロング・ビーチ校（CSULB）、アクロン大学、ケンタッキー州立大学、ルイジアナ州立大学で、演奏またはマスター・クラスで教鞭をとってきました。台北パーカッション・インスティテュート（台湾）、インターナショナル・パーカッション・フェスティバル（ベルギー）、ワールド・リズム・フェスティバル（シアトル）、パーカッシヴ・アーツ・ソサエティ・インターナショナル・コンヴェンションでフィーチャー・クリニックやゲスト・スピーカーを担当しています。

*Kalani*は、Toca（パーカッション楽器）、Gibraltar（ハードウェア）、Paiste（シンバル）、Evans（ドラムヘッド）、Vic Firth（スティックおよびマレット）、Peripole-Bergerault（教育用楽器）、Audio-Technica（マイク）を使用しています。

*：ビデオ＆CDのフィーチャード・パーカッショニストとして、何百万人もの人にジェンベという楽器を紹介した。
日本版「アクロポリスの幻影〜ヤニー・ライヴ」

謝　辞

私は、ジェンベ文化の中にある豊かな音楽と伝統を創造した西アフリカの人びとに、多大な畏敬の念を抱いています。これまで西アフリカに生きてきた人びと、そしてこの知識を継承してきた人びとに、心からの感謝と尊敬を捧げます。

本書の素材提供に何らかの形で関わってくれた人たちは、たくさんいます。その中でもとくに、私が幸いにも出会うことができ、師弟としてのみならず、ミュージシャンとしての仲間、そして友人として関係を築いた人びとは、*Mohamed "Joh" Camara*（モハメド・ジョー・カマラ）、*Jimo Kouyate*（ジモ・コヤテ）、*Abdoule Doumbia*（アブドゥル・ドゥンビア）、*Mohamed da Costa*（モハメド・ダ・コスタ）、*Papus Diabate*（パプス・ジャバテ）、*Mamady Keita*（ママディ・ケイタ）、*Ladji Camara*（ラジ・カマラ）、*Ryan Camara*（ライアン・カマラ）です。北カリフォルニア・グリーンズボローで行われたSummer Jembe Instituteを企画した*Eric Charry*は、私をはじめ多くの生徒たちに大切な教育的チャンスを提供してくれました。私に最初のジェンベを売ってくれたのは、*Paulo Matioli*（パウロ・マティオリ）です。*Paulo*からはその後、さらに数個のジェンベを買うことになりました。*Yanni*は、ジェンベがいったい何なのか、そして何と呼ばれているか（その頃は「ジンボ」と呼んでいた）さえわからない時代に、彼の音楽やツアーに受け入れてくれました。Interworld Musicの*Gerry and Ben James*は、私の最初のジェンベ教則ビデオAfrican Beatsをリリースしてくれました。Toca Percussionの*Ken Fredenberg* 他スタッフたちは私がデザインした楽器を製作し、私の仕事やヴィジョンを支えてくれています。本書の出版を共に行ってくれたAlfred Publishingの*Dave Black*とその同僚、私の友人たちに、感謝の意を表します。専門知識を提供し、店舗を使用させてくれたMotherland Musicの*Dan Rice*に感謝します。バイオグラフィに掲載した機関を含め、私のレッスンや演奏会を支えてくれた教師およびプログラム・ディレクターたちもたくさんいます。そして、私のすべての生徒には、次のことばを捧げます。あなたたちは、音楽を学ぶために私のところへやってきました。そして、私たちはともに、なぜ音楽を演奏しなければならないかという理由を発見したのです。創造性のスピリットに乾杯！　皆さん、ありがとう。

Chapter 1　ジェンベの歴史と背景について

伝説によれば、現在バマコと呼ばれる都市で起こったキリナの戦い（1235年）で、*Sundjata Keita*（スンジャータ・ケイタ）という若い戦士が反乱を起こし、西アフリカでは最も強大な王国であるマリ帝国が興りました。マリ帝国の作られた地域はマンデと呼ばれ、*[1]マニンカ族、スス族などの、ジェンベを含む音楽文化をもつ民族グループが住んでいました。マンデはニジェール川（セグ）から南はコートジボワールやブルキナファソ、西はコナクリと*[2]カイエまで広がっていました。この地域の重要都市は、セグ、バマコ、キタ、カイエ、シギリ、カンカン、クルサ、ファラナー、コナクリです（Map 1参照）。

ジェンベや*[3]クリン（ログ・ドラム）、*[4]バラ（シロフォン、ザイロフォン）といった木を彫って作る楽器は、伝統的にはヌム（鍛冶職人）が制作するものでした。彼らは木を彫るための道具を作っていたからです。ですから、著名ジェンベ・プレイヤーの多くは、*Doumbia*（ドゥンビア）、*Camara*（カマラ）、*Kante*（カンテ）といった、ヌムの家系の名前をもっています。ドラマーに多い名前にはこの他に、*Keita*（ケイタ）や*Konate*（コナテ）があります。

西アフリカのほとんどの国は、1960年前後に*[5]フランスの植民地支配からの独立を果たしました。そうした背景の中、国民としての誇りやアイデンティティの意識が高まり、各国政府はアート・アンサンブルを設立して他の西アフリカ諸国、ヨーロッパ、そして最終的には世界中に自らの伝統文化を示すようになりました。ギニア国立バレエ団などのパフォーマンス・グループは、西アフリカの豊かな文化的遺産を表現する文化大使として設立されたものです。マニンカ族やスス族の音楽やドラムは周辺国に広まり、1900年代が終わる頃には、ジェンベは世界でも最も評価されるハンド・ドラムとなりました。

今日ジェンベはテレビや映画のサウンド・トラック、ドラムサークル、学校の子どもたちなど、あらゆる場面で利用されています。西アフリカのアフリカン・バレエ団のパフォーマーたちは欧米に移住してダンス＆ドラム・スクールを開き、西アフリカのドラミング、ダンス、音楽、文化を学ぶ、さまざまな人たちが集まっています。

注 意：本書の中ではマニンカやススの音楽や伝統文化を紹介していますが、その要素は多くの場合、より広範囲なマンデ地域（Map 2参照）にも適用することをお断りします。

*1 Maninka : マニンカ族はマンディンカ、マンディング、マリンケと呼ばれることもある
*2 Kaye : 現地の人はカイーと呼ぶことが多い。
*3 krin : 丸太をくり抜いて作ったどらむ。バチで叩くが、場所によってさまざまな音色がでる。西アフリカではコドコドとも呼ばれる
*4 bala : 西アフリカではバラまたはバラフォ（Balafo）という名前で呼ばれる。バラフォン（Balafon）の木と呼ばれる赤く固い木を鍵盤に用いた 木琴で、鍵盤の下にひょうたんが付け音を共鳴させる
*5 : 旧フランス領西アフリカ諸国は1959～1960年に独立。実際には、ギニア1959年、他の旧マンデ地域の旧フランス領はすべて1960年独立した。

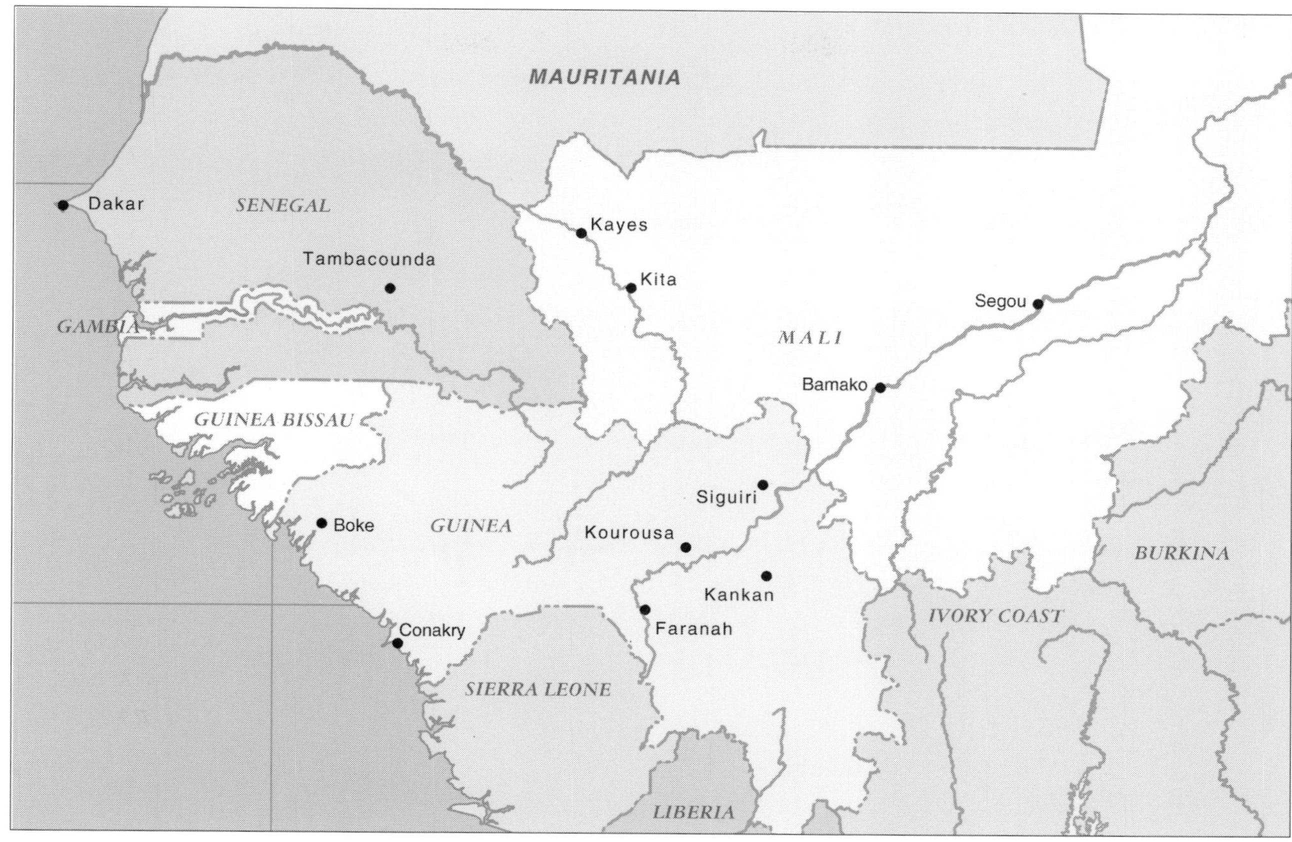

Map 1

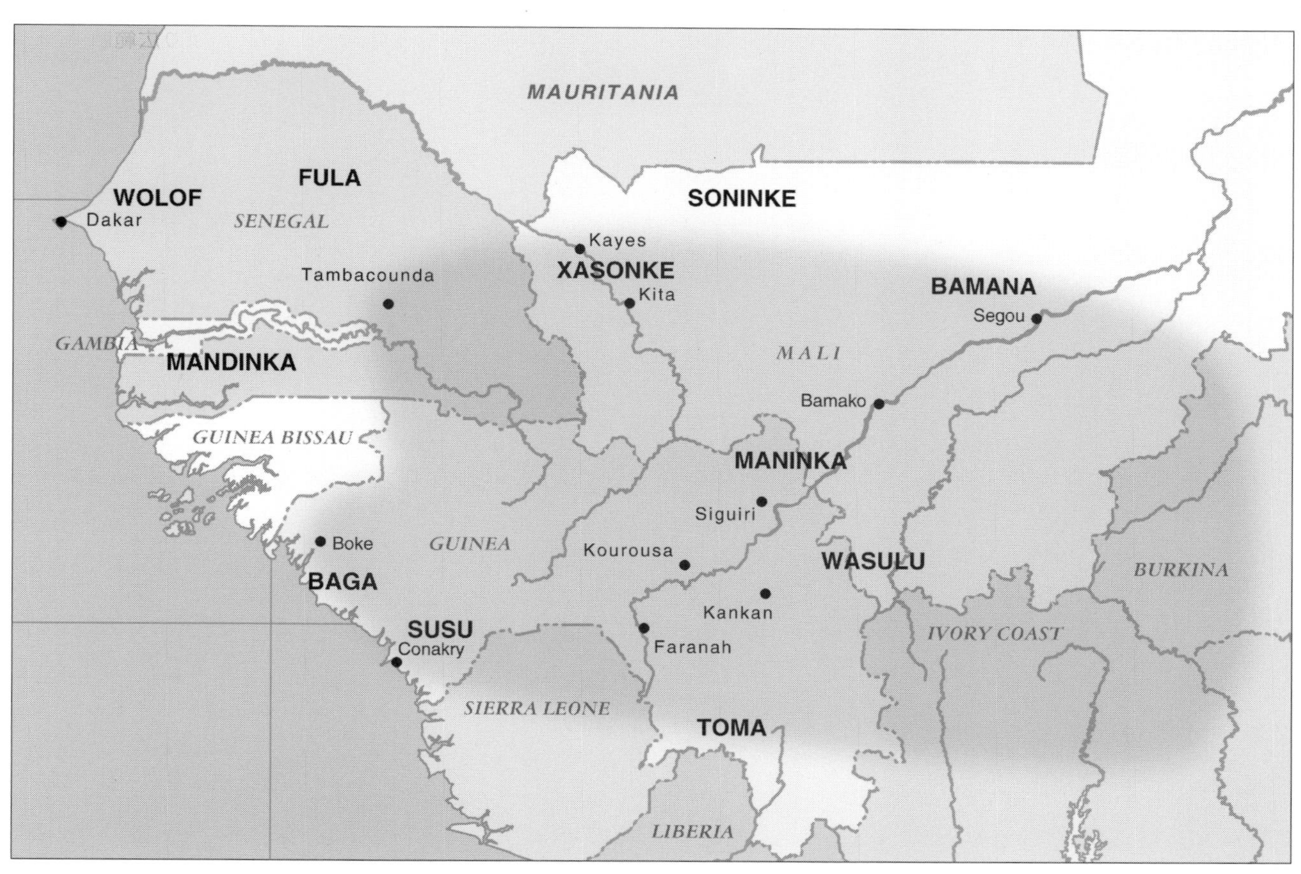

Map 2　グレーの部分は、ジェンベ文化地域。ボールド(太字)は、おもな民族グループ

なぜ Jembe というスペルなのか？

ジェンベ・ドラムには、さまざまなスペルが使われています。その中でも最も多く使われているのが、フランス語表記Djembeと、英語表記Jembeです。フランス語のスペルは、1880年～1960年の植民地支配の時期に考案されたものです。アフリカの文化では文字を書く伝統がなかったため、西洋に知られるようになったアフリカの情報の多くは、フランス語で書かれることとなりました。そのため、このアフリカのドラムはDjembe（強い「**ジ**」という発音のために**d**が付け加えられた）と表記されたのです。このスペルはフランス語のわからない人たちには少し混乱を招くため、英語のスペルにした方がよいのではないでしょうか？私の知る限り、この他にもJimbe、Djimbe、Jenbeというスペルがあります。私は英語を母国語としていますので、フランスの影響を減らし、正確な発音をするためにも、英語式のスペルを勧めています。

ジェンベってどんな意味？

ヌムの家系のマニンカ族である私の先生の１人から聞いた話です。彼によると、ジェンベはバガ族のことばで、**ジェ**「*ひとつになる、ともにある*」、**ンベ**「*平和のもとで*」という２つの単語に分けられるそうです。それを合わせて**ジェンベ**「*平和のもとで、ひとつになる*」となる、というわけです。その他に、ジェンベは単に ドラムを意味するという意見もあります。ロマンチックな説をとるか、シンプルな説をとるかは、あなた次第です。

Chapter 2　ドラムのタイプと構造

すべてのジェンベはゴブレット型または木臼型のドラムです。[*1]ボディのボウル状の上部と筒状の下部、そして強く張られたヘッドによって、ジェンベのユニークな音が醸し出されます。ここではこの基本デザインのいくつかのバージョンをご紹介しましょう。

伝統的なドラム

伝統的なジェンベは、硬木を手彫りにして作ります。熟練した職人であれば、数日でドラム１つを彫りあげます。職人のほとんどは、それまでに作ったドラムとほぼ同じ形に彫るため、ボウル部分や下の部分のデザインは、産地によって特徴をもつものとなります。伝統的に使われる木材にはレンケ（薄茶）、ドゥルガ（黄色）、ジャラ（赤っぽい茶）などがあります。ボウル部分の直径は28cm～38cm、脚の部分のいちばん下の外径は15.5cm～20cm程度です。コートジボワールやブルキナファソ（森林地域）のドラムは、北側のドラムよりやや幅が広めです。

ジェンベの３つの基本的な構成部分はボディ、ヘッド、ロープです。ヘッドは３つの鋼鉄製のリングと上下に何度も渡されたロープでボディに固定されますが、この手法は、欧米ではマリ・ウィーヴ（マリ編み）と呼ばれています。金属の板に小さなリングがたくさんついた３つの耳（[*2]ケセケセまたはセケセケ）をつけて、音を演出する場合もあります。ケセケセまたはセケセケ（**k**という音と**s**という音は、入れ替わりやすい）という名前は、そのジングル・サウンドの擬声語です。

[*1]：シェル（shell）ともいう。日本では胴とも呼ばれているが、本書ではシェルをボディと表記してある
[*2]：地域によってはンガニャマ、ニャニャマ、セセ、カサンカサンと呼ばれる場合もある

近代のドラム

伝統的には１本の木から彫り出していたジェンベのボディは、近代バージョンでは多数の木片から作られます。木片は切り、接着して、旋盤で削り、表面を滑らかにしてラッカーを塗ります。ボウル部分と筒状の脚の部分は別々に作られ、接合されます。近代のドラムには、いくつかのヘッドの張り方があります。

1. マリ·ウィーヴ·チューニング：**伝統的ドラム**と同じ手法

2. *1シンチ·スタイル·チューニング：**Everyone's Drumming**のジェンベに使われている手法
この方法では、たくさんの引き結びの結び目によってヘッドにテンションがかけられます。手早くチューニングでき、軽量で、伝統的ドラムに似た印象を与える。

3. *2ラグ·チューニング：**コンガやボンゴ**と同じ手法
ドラム·チューニングでは、おそらく最も早い方法でしょう。金具で重量が増し、伝統的なポジションで立って肩からかけて演奏するのは大変です。しかし、伝統的ドラムのヘッド交換には何時間もかかるのとは対照的に、ほんの数分で交換することができます。たとえパフォーマンス中にヘッドが破れてしまっても、すぐに交換してステージに戻ることができます。

*1 Cinch-Style tuning：ドラム·メーカーEveryone's Drummingが考案したチューニング·システム。オリジナル·チューニング·システムを作った他の例としてはMountain Rhythm社の「シンプル·ツイスト」がある。これらの各種システムは、力と時間を必要とするマリ·ウィーヴと、重量のラグ·チューニングの折衷案として開発されている
*2 Lug tuning：コンガ·スタイル·チューニングと同じ

ドラムヘッド

ジェンベには伝統的にヤギ皮が使われますが、近代型のドラムにはバイソン(水牛)皮が張ってあることもあります。また、破れずにハイピッチまでチューニングでき、湿度や温度の影響を受けないことから、合成皮のヘッドを使う人も少なくありません。合成皮は、メンテナンスが楽で、ビーチでの遊びや湿度の高い夜間の野外などさまざまな環境下で使いたい人にとっては便利でしょう。

このように、現代のパーカッショニストにとっては、多くの選択肢があるのです。どのタイプのドラムがより優れているかを尋ねられますが、私は「*あなたのニーズによりますね*」と答えます。もちろん、手彫りにヤギ皮のドラムが、いうなれば最も伝統的な音が出て気分もよいのですが、プレイヤー１人ひとりにとって、もっと重要なポイントは異なるでしょう。ですから、ドラムとヘッドの組合せを選ぶ際には、次のような点「*ジェンベはあなたのおもな楽器となりますか？*」、「*ドラム持参で旅行することはありますか？*」、「*ヘッドが破れた場合、さっと交換できることがあなたにとって重要ですか？*」、「*あなたの住んでいるところは湿度が高いですか？*」を考えてみるとよいでしょう。このような質問に対する答えを考えれば、自分にはどのドラムが合っているかわかるはずです。あるタイプのドラムが、他より優れているということはありません。あなたのニーズにどれがいちばん合うか、という問題なのです。ですからドラムを買う際には、いろいろなボディ、ヘッド、皮の張り方の組合せを試してみて、どれがたたきたいか、また、どれが自分のニーズを最も満たしているかを考えましょう。私のように、すべてのタイプを買ってしまう人もいるかもしれませんね！

Chapter 3　チューニングによりテンションを上げる

マリ・ウィーヴ・チューニング

伝統的なマリ・ウィーヴ・スタイルのドラム・チューニングは、最初は少し難しそうに見えますが、一度覚えてしまえばシンプルなものです。ロープの端までチューニングされていない限り、数十センチ分のロープが、水平方向に巻かれているはずです（ロープが端まで使われていたら、できませんね！）。もしもロープが残っていない場合は、２つの方法があります。

1. ロープを継ぎ足す

2. 縦向きのロープだけを残してロープを解き、縦ロープを手またはロープ・プラー（P.40 ヘッドの交換の項参照）で締めていく。縦ロープをできるだけ締めれば、マリ・ウィーヴを使ってピッチを上げることができる

ヘッドのテンションを上げる

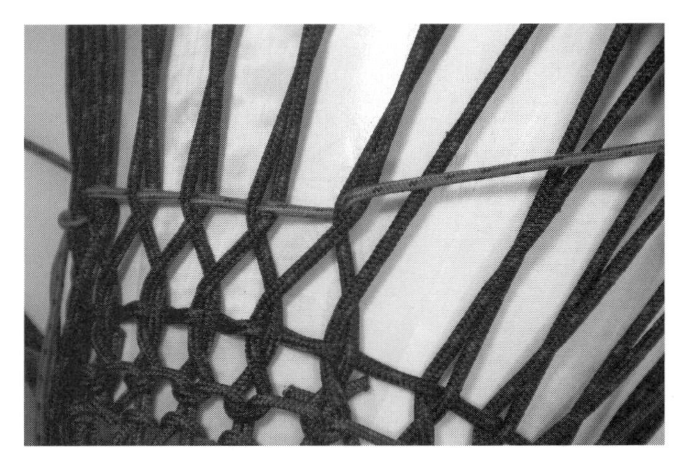

1. 最後のダイヤモンド型の結び目から始める。ロープの端をとり、次の縦ロープ２本の下をくぐらせる

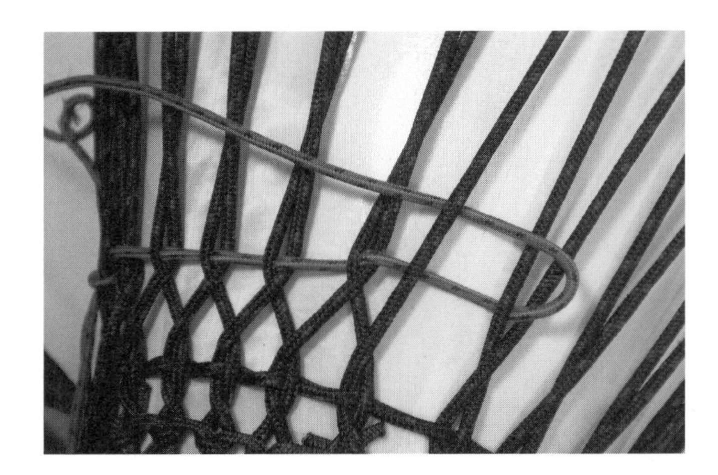

2. ロープをすべて引き出して引く。こんどは逆向きに１本めは上から、２本めは下をくぐらせる

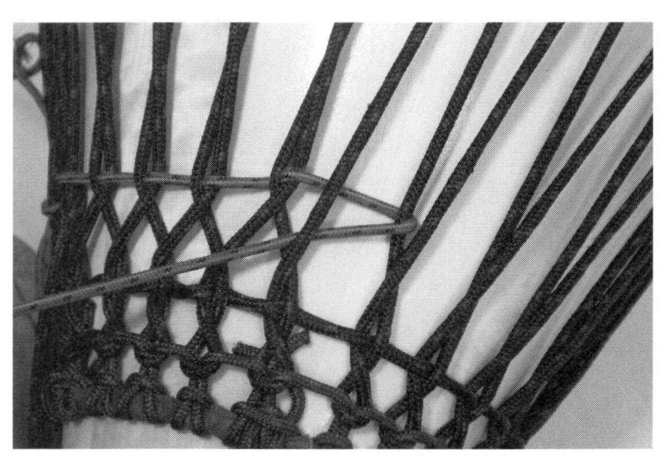

3. ロープをすべて引き出し、手元に近い方が下側になるようにする。これにより、ダイヤモンドの列の幅が広がらないようになる

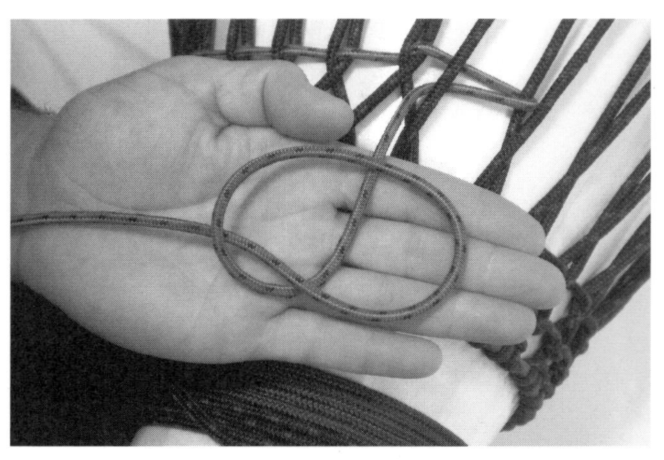

4. ダイヤモンドを引っ張る準備として、結び目を作る

5. 図のようにスティックを取り付ける。このようにすると、引きやすい

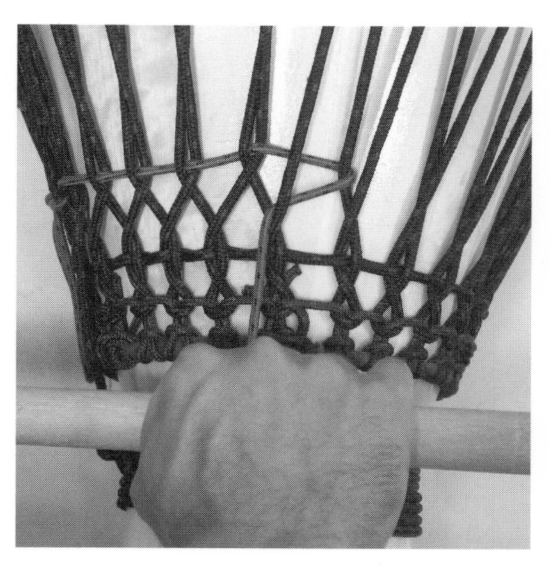

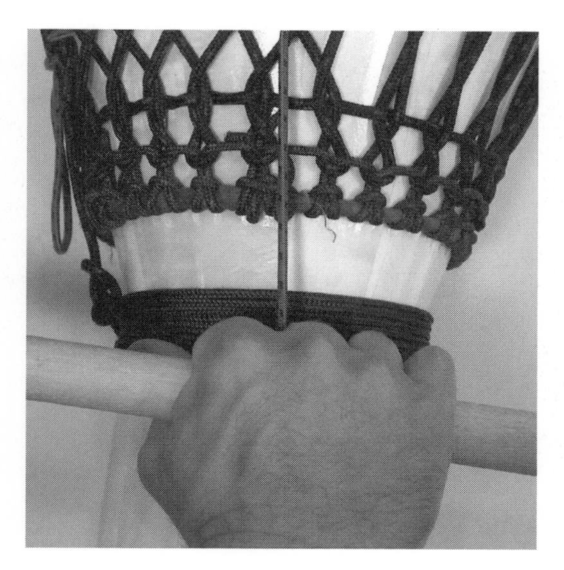

6. ドラムの上に座り、固定する。私の場合は片手でボディを下に押し付けながら、もう片方の手でロープを引く。両手で引く必要がある場合は、膝でボウル部分を押し付けてもよい。２本の縦ロープの左右が入れ替わるまで、ロープを引く

7. スティックを取り外し、結び目をほどく

8. １〜7を、気に入ったピッチになるまでくり返す

9. チューニングが終わったら、次の縦ロープにチューニング・ロープをくぐらせ固定する。あまったロープはボディに巻き付ける

注 意：ロープをスティックに巻いても、手に巻いてもかまいません。手を使う場合には、あまり強く引くと、マメができるので気をつけましょう！

注 意：ヘッドのテンションが上がるに連れて、ロープにかかったテンションによってダイヤモンド・ノットがほどけてしまうことがあります。その予防の１つとして、次の２本の縦ロープにチューニング・ロープをくぐらせ終わるまで、ダイヤモンド・ノットを押さえておきます。または、次の２本の縦ロープにチューニングロープをくぐらせてから、ダイヤモンドを引くという方法もあります。上の写真のように「*上、上、かぶせて戻り、またかぶせて戻る*」、という方法もあります。この方法だと、ダイヤモンド・ノットがほどけることがありません。

ヘッドのテンションを下げるには、この逆の作業を行い、好みのピッチになるまでダイヤモンド・ノットをほどきます（オーディオ・ビジュアルCD参照）。

最も上級のプレイヤーたちは、過剰なリンギング・サウンドがなくなるよう、かなりハイピッチまでチューニングします。

ドラムをあまりにもハイピッチにチューニングすると、ヘッドが破れてしまうというリスクがあります。では、「あまりにも高い」とは、どれくらい高いピッチを指すのでしょうか？　残念なことに、それを知る唯一の方法は、締めすぎてヘッドを破ってしまうことなのです。経験を積んだプレイヤーたちがどのようなチューニングをしているかを感じるためには、彼らのCDやライヴ・パフォーマンスを聴くことです。たくさんの演奏を聴いたら、どのような音がよくて、自分のジェンベの最良の音はどんなものか、がわかるようになります。ソロ演奏からフル・アンサンブルまでを録音した私の音源もあります。KalaniMusic.comにアクセスしてください。

ラグ·チューニング(コンガ·スタイル·チューニング)

コンガ·スタイルの金具のついたジェンベは、1/2インチのオープン·エンド·レンチでチューニングできます。対角線状にチューニングしていきましょう。順番に、始めたところに戻るまで締めていきます。(スネア·ドラムのように)星形にチューニングする必要はありません。リムがボディの上端と併行になるよう気をつけ、締めすぎないようにします。ペンチは金具を損傷させることがあるので、使用は避けましょう。金具の回りが悪くなったり音が出るようになったら、ナットを緩め重油かグリースを塗りましょう。

シンチ·スタイル·チューニング:Everyone's Drummingのジェンベに使われている手法

縦ロープの結び目にチューニング·ツールをひっかけます。引き結びの結び目を強く引き、ロープを締めます。好みのピッチになるまで、順番に締めていきましょう。ヘッドを緩めるには、チューニング·ツールを縦ロープの一本の下にかけ、ボディから離れた方向に引いて、テンションを下げます。

テンションを上げる

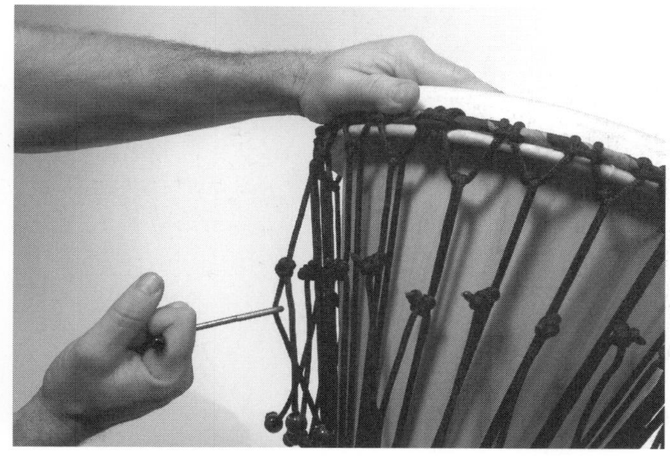

テンションを下げる

Chapter 4　演奏のポジション

ジェンベは、シッティング･ポジション（座位）またはスタンディング･ポジション（立位）で演奏することができます。スタンディング･ポジションならいろいろな動きができますし、シッティング･ポジションでの演奏なら長時間快適にプレイすることができます。どちらのポジションの場合も、楽な姿勢で、椅子やスタンドがあなたの身長や手と腕のポジションに合った高さであることが大切です。ドラムと自分の体の不適切なポジショニングを補わなければならないような演奏ポジション（ドラムが低すぎるため前かがみになる、ドラムが高すぎるため手首を過度に曲げるなど）は、怪我の原因となることもあります。椅子やスタンドを体に合わせて調節する時間と、悪い姿勢や不適切なテクニックによって起こった怪我でプレイできなくなる時間を計りにかければ、どちらが良いかは明白です。

スタンディング･ポジション

伝統的なポジションで肩からジェンベをかけて演奏するには、適切なストラップが必要（カラテの道着の帯２本をつなげても便利）です。ナイロンのベルトや布紐も利用できます。ストラップの長さは、あなたが手を広げた長さ、つまりあなたの身長くらいが適当です。以下のようにして、肩からかけましょう。

1．ドラムの持ち手部分にストラップを通す。持ち手がない場合は、チューニング･ロープの縦ロープ部分に通してもかまわない

2．ストラップのもう１つの端をとり、引き結びを作る

3．ドラムを床に置き、ストラップの輪にドラムの脚部分を通す。ストラップはボウル部分で止まる

4. これで準備完了。ストラップを持ち上げ、反対側の肩にかける

5. ドラムのポジションをチェックして、調整を加える。これでプレイできます

ドラムを体に合わせてはいけません！常に体の方に、道具を合わせるようにしましょう。ドラムが高すぎる場合には、下げるために前かがみになるのはよくありません。低すぎた場合に体をそらすのも同様です。そのような安易な調節法を続けると、背中、首、肩に深刻な問題が起こることがあります。ポジションの調節には、十分時間をかけましょう。調整時には、目で確認するよりも、体が快適に感じるかどうかがポイントです。他の人のまねをしても、それがあなたにとって最適とは限りません(自分には合ってないかもしれません)。あなた自身の感覚を信頼して、快適さを追求しましょう。

ドラム演奏時には、常に良い姿勢を保ちましょう。中にはウェストからかなり前傾姿勢になるプレイヤーもいますが、それでは背骨や背中の筋肉に大きな負担がかかります。短時間なら大丈夫かもしれませんが、私たちの背中はそのような姿勢に適するよう作られていないのです。骨盤を立てた状態で、背筋を伸ばしてプレイしましょう。膝を少し緩めておいた方が、スタンスに柔軟性が出ます。演奏中は、常に少しだけダンスすることを忘れないように！　動き続けることにより、リラックスした状態をキープすることができます。

スタンドを使ったスタンディング・ポジション

もう１つの方法は、スタンドを使ったスタンディング・ポジションです。さまざまな高さに調整がきき、同時にジェンベのボディに損傷を与えないスタンドを使いましょう。私は、（肩から下げている場合と同じく）伝統的な角度のついたポジションと、垂直なポジション（コンガと併用する場合）の両方に使えるスタンドを利用して、スタジオやステージなど、必要に応じて使い分けています。肩からかけないポジションでは、ドラムに対してさらに新たなアプローチ法があることに、私は気がつきました。

しかし、ドラムの演奏法には、正しいあるいは間違いということはない、と覚えておきましょう。状況によって適切な方法は異なりますし、１人ひとりの好みも違います。

シッティング・ポジション

動き回ることが要求されないドラム・アンサンブルやレッスンでは、シッティング・ポジションが適しているでしょう。高さが調節でき、前の方に座れば良い姿勢も保ちやすいことから、椅子よりもドラム・スツールがよいでしょう。背もたれのある椅子ではプレイヤーの姿勢が悪くなり、それによりテクニックも劣化する傾向があるので、お勧めできません。プレイする時は常に、背筋を伸ばし、肩をリラックスさせるようにしましょう。スツールの高さも調整します。始終足ではさむ必要がなくドラムの角度をキープできるよう、ストラップを使う人もいます。短めのストラップを腰の後ろまたは椅子にかけます。この方法を使えば、ドラムのポジションを気にすることなく、プレイに集中できます。

背骨が正しいポジションでなければ、背中の筋肉はそれを補わなければならなくなる、ということを覚えておきます。それは、体の使い方として賢い方法とはいえないでしょう。シッティング・ポジションで気分よくプレイを続けるためには、ドラムを持っていない時にも快適でなければなりません。良い姿勢を保つ練習をしましょう。鏡で、自分の背中、肩、腕、手のポジションをチェックします。前かがみになったり、肩が上がったりしていませんか？そうであれば、肩をリラックスさせましょう。腕を体側に下げ、（リラックス状態の）上腕と、肘から指先まで（下に下げた状態）の感じをつかみましょう。このような気づきのためには、*アレクサンダー・テクニックやヨーガも参考になります。ドラムの演奏は、動きのさまざまな要素と関係しています。正しい動き方や座り方を研究すれば、音楽的体験やテクニックが向上するばかりでなく、これから先の長い間、体に痛みが生じることなくプレイを続けることができるはずです。

シッティング・ポジション

* 俳優のフレデリック・M・アレクサンダーが考案した、体の気づきのためのメソッド

Chapter 5　演奏テクニック

他のテクニックと同様に、最も効率のよい動きによって、最良の結果を生み出すことがいちばん大切です。このチャプターで紹介するテクニックを練習する際は、そのことを念頭に置きながら、自分の体と手のポジションを常に観察するようにしましょう。私はプレイする時に、体、腕、手が完全にリラックスしている状態にできるだけ近くすることを心がけています。それによってテクニックを使うために必要以上のエネルギーを使うことがなく、体に不自然な動きを強いてしまうことがないからです。

また、異なる*トーンをたたく時の手のポジションは、できるだけ変わらないようにしています。そうすると、トーンによる手の移動に必要なエネルギーが節約され、疲れずにより速く、長くたたけると考えているからです。自分の体がプレイ中に緊張して固くなったり痛んだりする時、あなたの体はたたきかたを変える必要がというメッセージを投げかけてきているのです。優れたプレイヤーは自分の体の声に耳を傾けているため、怪我をすることも、手にマメができることもほとんどありません。彼らは過去に、何がうまくいき、何が体を痛める原因となるかを時間をかけて体験しているのです。手でドラムをたたくという行為は、痛みを伴うものである必要はありません。時間はかかるかもしれませんが、良いテクニックを身につけることは、長い目で見ればとても役に立つことなのです。

ジェンベには基本的な３つのトーンがあります。ベース･トーン、オープン･トーン、スラップ･トーンです。この３つのトーンを習得すれば、ジェンベの伝統的パターンのほとんどすべてを演奏することができます。もちろん、これ以外にもいろいろなテクニックがありますが、この３つが基本となります。また、他のテクニックもこの３つのトーンを中心にプレイされます。

ベース･トーン

ベース･トーンをプレイするには、楽な演奏姿勢をとり、手をドラムヘッドのセンターとリム（エッジ）の間に置きます。この時、ヘッドのちょうど真ん中を選ばないようにしましょう。ヘッドのセンター（中心）には、デッド･スポット、つまり最良の音の出ない部分があります（写真参照）。ヘッドはセンターではなく、センターの周りで振動するため、ヘッドの中心をたたいても、ヘッド全体にエネルギーが伝わるわけではありません。他のトーンを出す時も同じですが、体全体を非常にリラックスした自然な状態にしておきます。肩で腕を押し出さず、自然に体側に下がっている状態がよいでしょう。

ドラムをたたくには、手が自然にバウンドするようにしましょう。ヘッドをミュートして振動を止めてしまうので、ヘッドを押さえつけてはいけません。自由にバウンドさせることにより、ヘッドが共鳴し、ドラム内の空気が振動してベース･トーンが出ます。良いベース･トーンを出す時にとても大事なのは、ドラムの下がふさがれた状態になるのを避けるようにドラムを床に置くことです。そのためにはシッティング･ポジションでは角度をつけた状態でドラム･ポジションをとるか、または肩からストラップでドラムをかけます。ドラムをたたく際の床は、硬木やセメントなどの固い材質の方がよいでしょう。カーペット、芝生など、でこぼこした地面や床は音を吸収して、ヴォリュームが減少してしまいます。

* tone：（特定の音質の）音、（一定のピッチ＝音高）の楽音、音色の意。

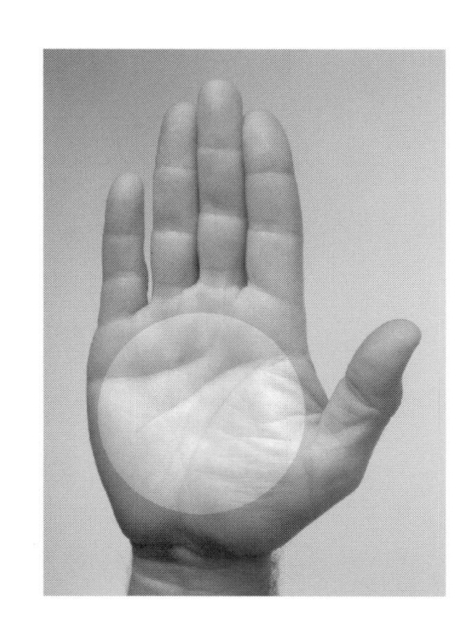

ベース・トーンの出し方

1. 肘から先の前腕を持ち上げる
2. 重力にまかせて、腕をドラムヘッドに向かって振り下ろす。手は指をつけて平らな状態にしておく
3. 手の重みが、手のひらにかかるようにする
4. 1.の状態に戻るまで、手をバウンドさせる

私はベース・トーンをジェンベの準基本的トーン（sub-fundamental tone）と呼んでいます。それは、このトーンはヘッドのピッチやテンションにあまり関係がなく、ボディの中を空気が通り下から出ていくことによって作られる音だからです。ヘッドのテンションを変えずにベース・トーンを変えるには、以下のような実験を行ってみましょう。

ドラムを横向きに置き、ベース・トーンを定期的にくり返します。片手でそれを続けながら、もう一方の手をドラムの下の開口部分に入れます。これによってボディ内の空気の移動場所が狭められ、小さい開口部から出るために空気伝導のスピードが遅くなります。遅い空気伝導は低い周波数を生み出し、結果として低いピッチの音が出ます。手をボディの中に入れるにしたがってピッチが下がり、手を出していくにしたがってピッチが上がるのがわかるでしょう。

ベース・トーンの練習は、スタンドか肩掛けポジションで床から離して行ってもかまいません。カーペットの敷いてある部屋でシッティング・ポジションで練習する場合は、ドラムの下に60cm×60cmくらいの段ボール、*メゾナイト、ベニヤ板などを置くのもよいでしょう。カーペットにベース・トーンが吸収されるのを防ぎ、座っていても自分の音がクリアに聴こえます。準備ができたら、ゆっくりとベース・トーンを練習してみましょう。

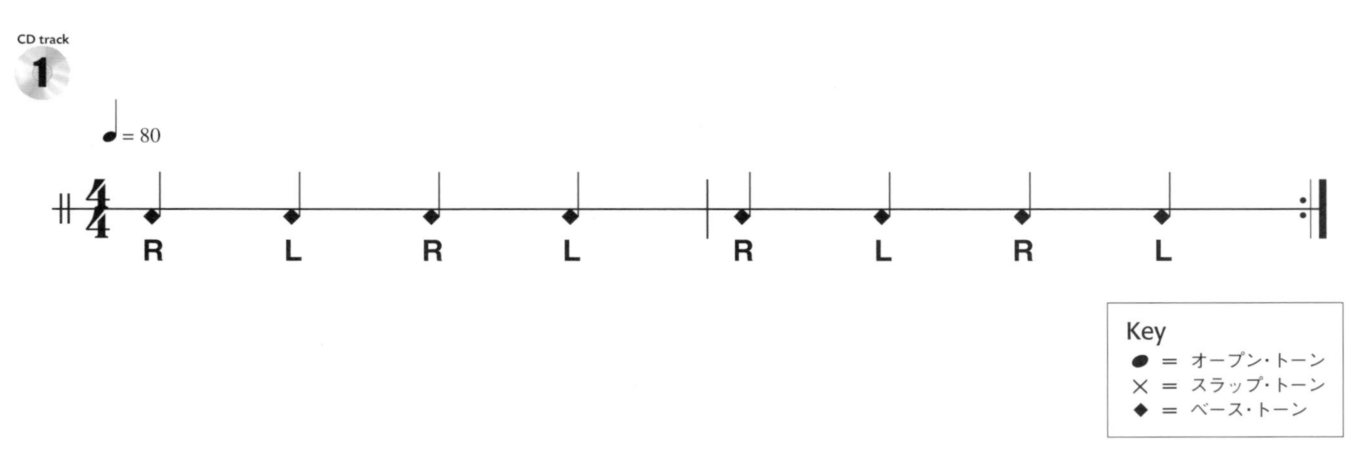

* Masonite：アメリカの工学者*W. H. Mason*が発明した断熱用硬質繊維板。硬質繊維ボードの商品名

オープン・トーン

オープン・トーンは、ジェンベの基本的トーン(fundamental tone)であり、ヘッドのテンションによってピッチが変化します。ベース・トーンでは手のひらでたたきましたが、オープン・トーンは指でたたきます。

まず、親指のポジションを確かめるために、ヘッドに手を置きます。両手の親指と人差し指で三角形を作りましょう(下の写真左参照)。親指を人差し指に揃えることなく開いているのは、親指の端でリムをたたいてしまわないためです。もしもどうしても親指を人差し指に揃えた方がやりやすい場合は、それでもかまいません。リムに親指をぶつけなければ、どちらの方法でもよいのです。

指の付け根がヘッドのリムの上にくるようにします。指はくっつけて揃え、前腕からまっすぐ伸ばします。(下の写真右参照)手から上腕(肩まで)は、常にリラックスしているようにしましょう。腕を上下する際は手も腕もリラックスし、ドラムをたたいたら手が自然にヘッドでバウンドする(ヘッドを押さえつけない)ようにします。ヘッドが振動するためには、手をバウンドさせなければなりません。*手の重さを利用して指の裏側でたたくことに焦点を当てながら、両手で練習しましょう。目標は、手が移動してヘッドにあたり、すぐに離れることです。ヘッドに手が触れている時間が長いほど、振動を妨げるだけでなく、ヴォリュームや音の質を減少させてしまいます。

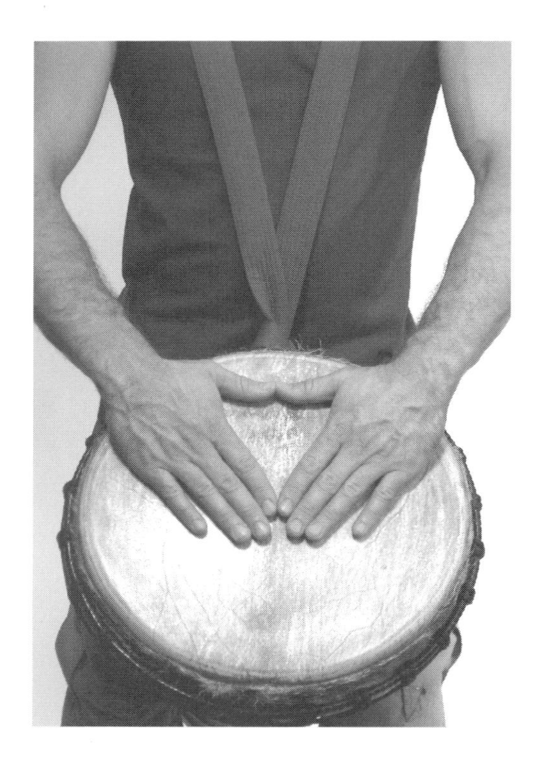

*写真で示されたように、次のオープン・トーンに対し、指先だけではなく、指の付け根に向かって指全体を広範囲を使う、という意味

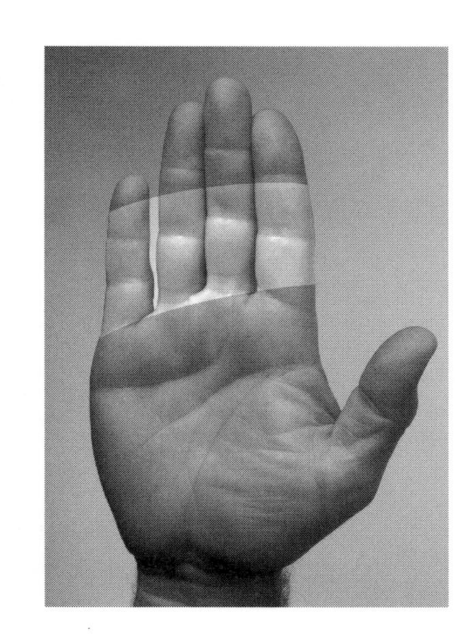

オープン・トーンの出し方

1. 肘から先の前腕を持ち上げる
2. 重力にまかせて、腕をドラムヘッドに向かって振り下ろす
3. 指はひとまとまりに揃えておく
4. 指の裏側でヘッドをたたく
5. ヘッドで手をバウンドさせ、元の状態まで戻る

左右の手で順番に、オープン・トーンをゆっくり練習します。常に同じ音が出るように練習しながら、ベース・トーンも混ぜましょう。

CD track 2

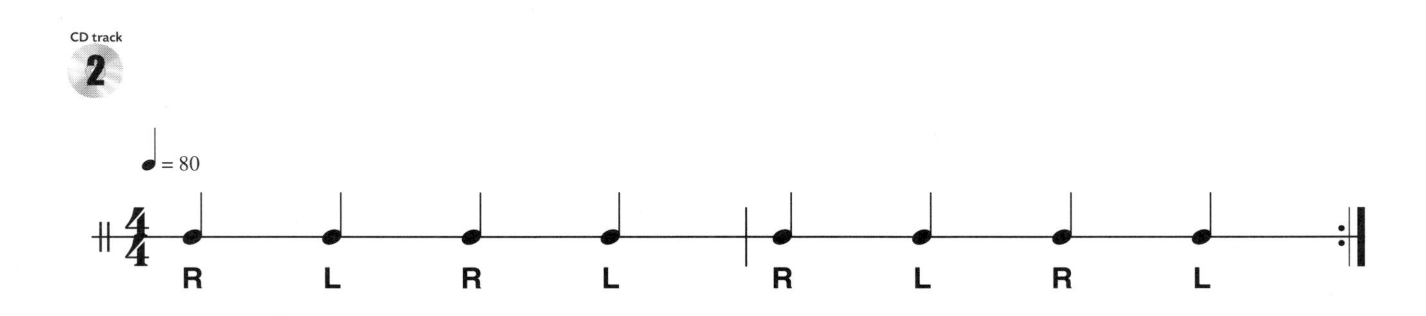

Key
- ● ＝ オープン・トーン
- × ＝ スラップ・トーン
- ◆ ＝ ベース・トーン

スラップ・トーン

ここまでで、あなたは基本的トーン（オープン・トーン）と準基本的トーン（ベース・トーン）を学びました。残るのは倍音（harmonic）です。倍音は、ヘッドをより複雑に振動させて高いピッチの音を出す方法です。これは、（オープン・トーンの場合の）指の下側に対し、指先に重みを伝えて（指先を使って）出すことができます。

スラップ・トーンのハンド・ポジションは、基本的にオープン・トーンと同じです。オープン・トーンと異なるのは、指先を当てることと、手全体がリラックスしていることです。スラップ・トーンを出す際には、既習の２つのトーン同様に、手はバウンドさせましょう。

手は横から見ると、わずかに弧を描くように丸めています（下の写真参照）。ヘッドを指先でたたくためには、指の間を少しだけ開けておかないと、オープン・トーンになってしまいます。**少しだけ**というのは、文字どおり少しだけです。また、手を丸めすぎてヘッドをつかむようにしてはいけません。わずかに丸めるだけで十分です。

スラップ・トーンを初めて聴いた時には、音量が大きいため、ベースやオープン・トーンより強くたたかないといけないと思いがちです。スラップ・トーンは他の音よりやや明るく大きい音であることに違いはありませんが、必ずしも力がより必要とするということではありません。実際には、スラップ・トーンを小さいヴォリュームで練習し、それからさまざまなヴォリュームで使いこなし音楽的コントラストをつけるというのも１つのアイディアです。ヘッドに手を押さえつけたり、力まかせにたたいたりすると、手が内出血を起すこともありますので、気をつけましょう。良いスラップ・トーンを出すには練習が必要ですので、あきらめずに練習しましょう。ハンド・ドラムに接するのが初めての方は、音出しのコツがわかるまで数週間かかることもあります。おそらく、スラップ・トーンを練習している間に、時おり*「ポン！」*という音が出るでしょう。それが正しく叩いた時の音です。その感覚を覚えていけば、正しい音の出せる回数が増えてくるはずです。しかし長くジェンベをたたいているうちに、その演奏法が身に付いて、いちいち考えなくとも済むようになります。初心者には初めは捉えにくいスラップ・トーンですが、自由に出せないからといって心配しなくても大丈夫です。練習を積み重ねるに従って、出せるようになるはずです。

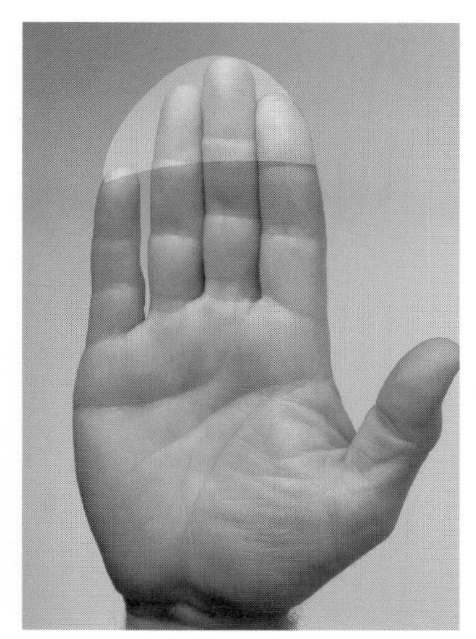

スラップ･トーンの出し方

1. 肘から先の前腕を持ち上げる
2. 重力にまかせて、腕をドラムヘッドに向かって振り下ろす
3. 指はひとまとまりだが、やや丸めておく
4. 指先でヘッドをたたく
5. ヘッドで手をバウンドさせ、元の状態まで戻る

注 意：この音を出そうと思ってあまりがんばる必要はありません。正しい動きをくり返すことの方が大切です。数週間の時間を、自分に与えましょう。もしも数週間経っても出せない場合は、先生に指導を受けるなどします。鏡を使って、自分の手の動きをチェックすることも役に立ちます。ものの見方を変えてみると、問題の答がクリアになることがあります！

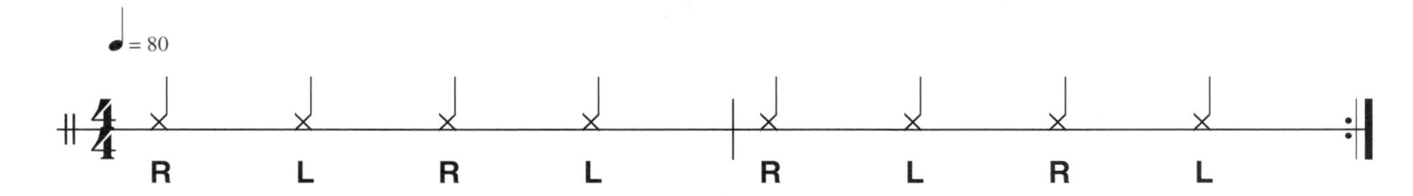

Key
- ● ＝ オープン･トーン
- × ＝ スラップ･トーン
- ◆ ＝ ベース･トーン

3つのトーンの復習

1. 最も低い音であるベース・トーンは、手の平を使った準基本的トーン
2. 中音のオープン・トンは、指の付け根に近い部分、手の中心部を使った基本的トーン
3. 高音のスラップ・トーンは、指先を使ったトーン

3つの音の覚え方としては、手のポジション(手のどの部分を主に使うか)を参考にするとよいでしょう。ベース・トーンはボトム、オープン・トーンはミドル、スラップ・トーンは指先を使ったハイ、という感じです。音を出す場合には、正しいトーンを出すために、手のどの部分に焦点を当てるかを思い出すとよいでしょう。

私たちがドラムをプレイする理由は、音楽を演奏する、コミュニケーションする、自己表現する、他者と情熱を分かち合う......ということです。練習が大切な理由は、テクニックに四苦八苦する代わりに、誰かと演奏する際には創造性に集中できるようになるからです。私たちがドラムで創り出す音は、私たちが楽器を通じて**話す**際のことばだということを、忘れないようにしましょう。発音がよくヴォキャボラリーが多いほど、互いにより多くのアイディアや感情を伝えることができます。テクニックがないと楽しめないということではありませんが、よいテクニックを身につけている方が、より広い表現をすることができるのです。

例えば、まず数分間はベース・トーンだけを練習しようと決めたとします。これは手の血流も増えるし、とてもよいウォーム・アップになります(ドラムに*「こんにちは」*と挨拶をしているようなものです)。右、左、と、ゆっくりのテンポでメトロノームに合わせて音を出し、1つひとつの音をよく聴きます。演奏しながら少しずつ修正を加え、やりやすい、または良い音の出る方法を見つけましょう。利き手と反対の手のバランスをとり、ベース・トーンを出すという単純な作業を改善していきます。ベース・トーンがうまくたたけたら、オープン・トーンとスラップ・トーンの練習を始めましょう。

手のポジションと姿勢をチェックします。*「肩に力が入ってはいませんか?」*、*「呼吸はどうなっていますか?」*、*「深くゆっくりですか、それとも浅く速いですか?」*など、自分の演奏や動きのすべての側面をチェックし続けることは、演奏時のリラックスした状態を維持するのにとても役立ちます。

練習の際には、メトロノームやドラムマシーンに合わせることをお勧めします。ヘッドフォンを使うのではなく、スピーカーのついた(またはスピーカーに接続できる)タイプのものを使いましょう。それによって、自分が出している音をよく聴くことができます。楽曲に合わせてたたくのもグルーヴ感を身につける練習としてよいですが、その場合もヘッドフォンの使用は避けましょう。

先生によってはベース・トーンを**グン/ドゥン**、オープン・トーンを**ゴ/ド**、スラップ・トーンを**パ/タ**と表すのを聞いたことがあるかもしれません。リズム習得法におけるこの呼び方は、アメリカ他の諸外国で西アフリカ音楽への意識を高めるのに大きな貢献をしたナイジェリア人のミュージシャン、ババトゥンデ・オラトゥンジが考案したものだとされています。ハンド・ドラム教師の中には、この方法をマニンカやススの伝統的ドラミングに応用している人もいます。こうした方法はたしかに教授法としてはクリアでよいのですが、アメリカといくつかの西洋諸国で使われている近代的方法にすぎないことを、ここで明記しておきます。マニンカの伝統的教授法では上のようなシステムを用いず、代わりに通常は暗記(聴いて、覚える)によって教えられています。

Chapter 6　手とリズムのエクササイズ

座って練習を始める前に、ウォーム･アップをするのはとてもよいことです。私はいつもまずドラムに触る前に、前腕をマッサージして、手首や手を前後にストレッチします。これによって血流がよくなり、筋肉は長くリラックスした状態になり、きっと怪我の予防になっているでしょう。なんらかの痛みが感じられるようになったら、自分のテクニックをチェックし、必要なら医師に相談しましょう。

以下は、トーンのコンビネーションの練習になる、ウォーム･アップ用の基本的な練習パターンです。パターンを練習する際には、リラックスした状態を保ち、クリアで違いのはっきりした音を出すことを心がけましょう。

Warm-up Pattern No.1

しばらくプレイしていない時には、このパターンは手をドラムに慣れさせるのに役立ちます。また、複雑なサウンドやパターンに取りかかる前の、手への負担の少ないパターンです。ベース･トーンとオープン･トーンのみを使い、ベース･トーン１小節（４拍、または８回）、そしてオープン･トーン１小節（４拍、または８回）となっています。

このパターンをたたく際には、腕と手が円を描き流れるような動きになるように気をつけます。慣れてきたら速くしてもかまいませんが、リラックスすることを忘れないようにしましょう。

左右の差のないクリアな音を出すよう集中しましょう。示したのは右手から始めるパターンですが、左手から始める両方のパターンを練習しましょう。

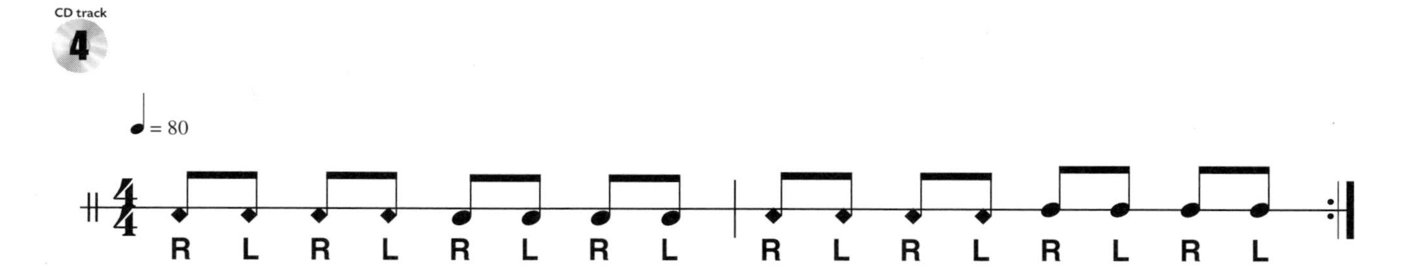

1	+	2	+	3	+	4	+
◆	◆	◆	◆	●	●	●	●
B	B	B	B	O	O	O	O
R	L	R	L	R	L	R	L

Key
● ＝ オープン･トーン
× ＝ スラップ･トーン
◆ ＝ ベース･トーン

Warm-up Pattern No.2

次はベース、オープン、スラップを使ったパターンですが、３つの音を明確に区別してたたくウォーム･アップとして有効です。ベース･トーンから始め、左右の手を交互にたたき（ベース/ベース、オープン/オープン、スラップ/スラップ、オープン/オープン）、これをくり返します。

リラックスすることを忘れずに、それぞれのトーンのクリアさに注意を払います。慣れてきたら、速くしてもかまいませんが、クリアで音の違いがはっきり出るようなプレイを心がけましょう。

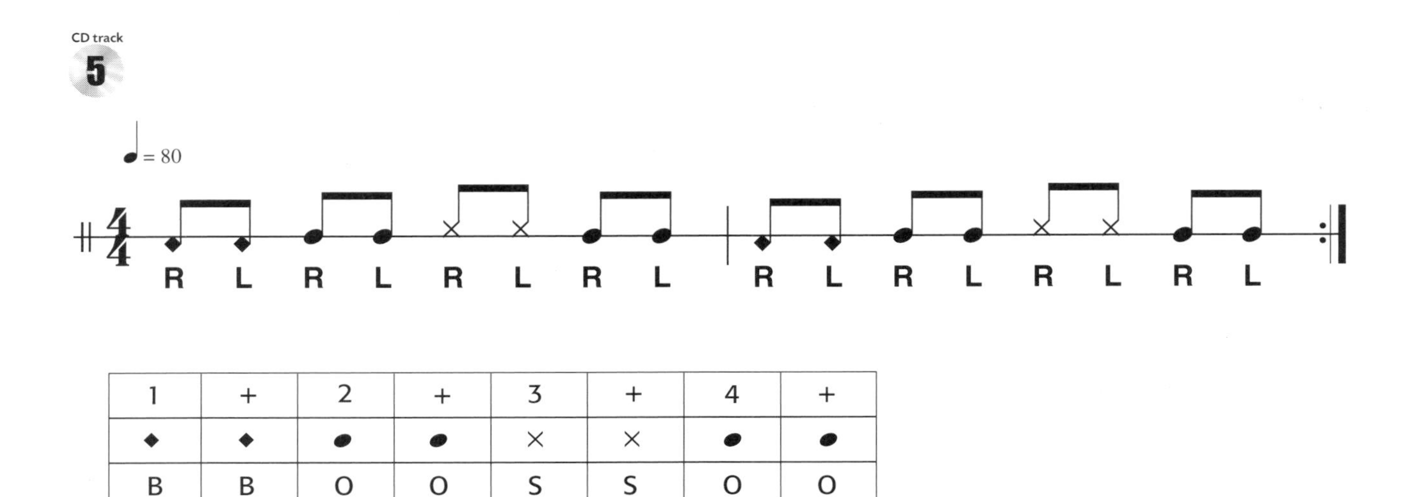

1	+	2	+	3	+	4	+
◆	◆	●	●	×	×	●	●
B	B	O	O	S	S	O	O
R	L	R	L	R	L	R	L

Warm-up Pattern No.3

最後のウォーム･アップ･パターンは、オープン･トーン２つとスラップ･トーン１つの３連符です。音の変わり目が少し難しいかもしれません。

1	+	a	2	+	a	3	+	a	4	+	a
●	●	×	●	●	×	●	●	×	●	●	×
O	O	S	O	O	S	O	O	S	O	O	S
R	L	R	L	R	L	R	L	R	L	R	L

ウォーム·アップが終わったら、次のパターンをいろいろなテンポでプレイしましょう。

Rhythm No.1

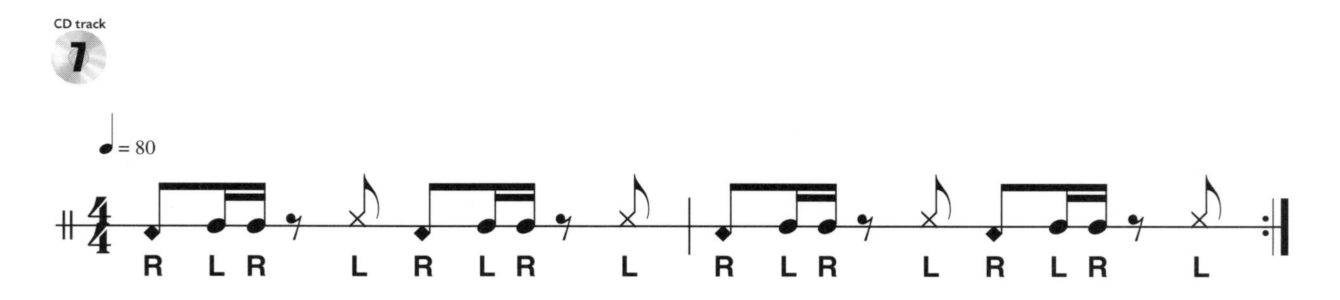

1	e	+	a	2	e	+	a	3	e	+	a	4	e	+	a
◆		●	●			×		◆		●	●			×	
B		O	O			S		B		O	O			S	
R		L	R			L		R		L	R			L	

Rhythm No.2

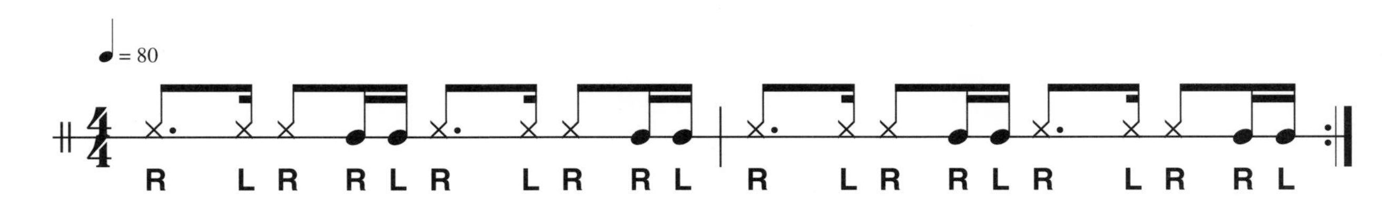

1	e	+	a	2	e	+	a	3	e	+	a	4	e	+	a
×			×	×		●	●	×			×	×		●	●
S			S	S		O	O	S			S	S		O	O
R			L	R		R	L	R			L	R		R	L

Rhythm No.3

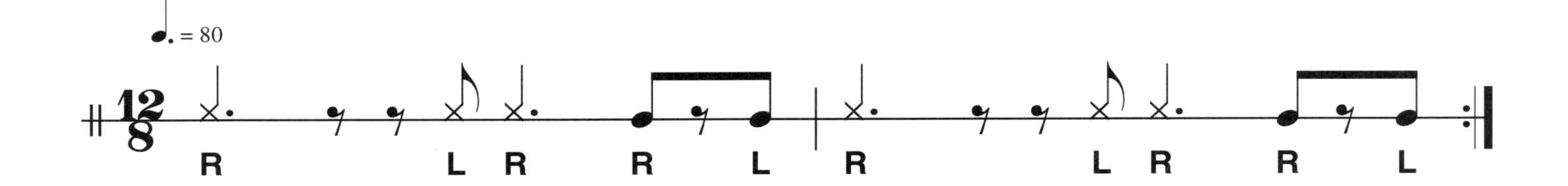

1	+	a	2	+	a	3	+	a	4	+	a
×					×	×			●		●
S					S	S			O		O
R					L	R			R		L

Rhythm No.4

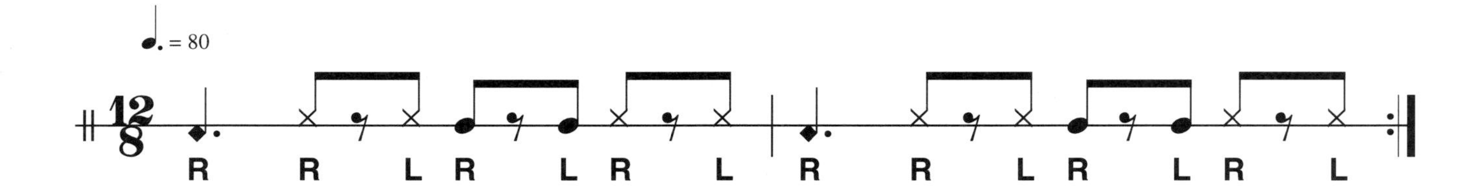

1	+	a	2	+	a	3	+	a	4	+	a
◆			×		×	●		●	×		×
B			S		S	O		O	S		S
R			R		L	R		L	R		L

Rhythm No.5

CD track

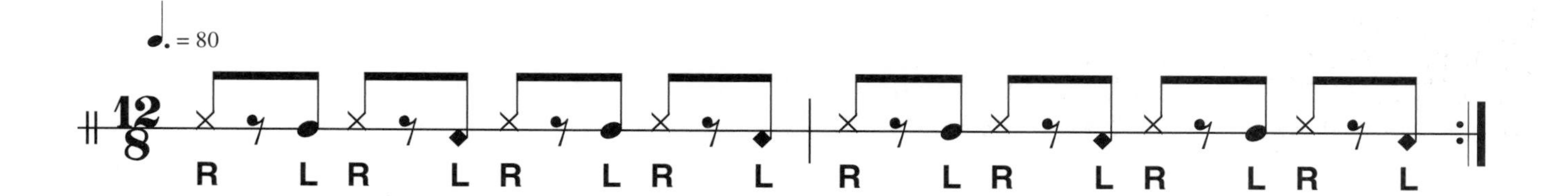

1	+	a	2	+	a	3	+	a	4	+	a
×		●	×		◆	×		●	×		◆
S		O	S		B	S		O	S		B
R		L	R		L	R		L	R		L

Rhythm No.6

CD track 12

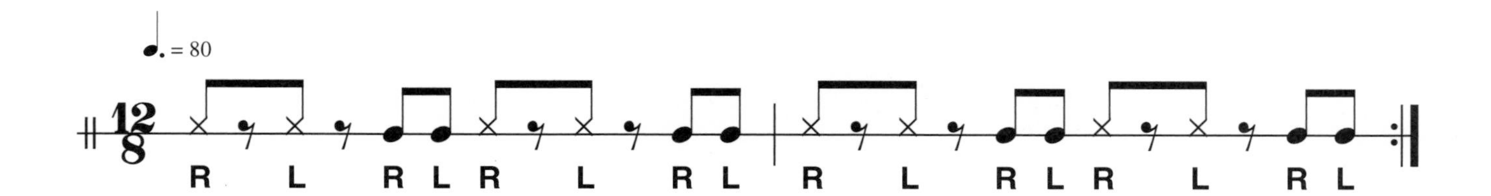

1	+	a	2	+	a	3	+	a	4	+	a
×		×		●	●	×		×		●	●
S		S		O	O	S		S		O	O
R		L		R	L	R		L		R	L

Chapter 7　パフォーマンス・アンサンブル

ジェンベ音楽について

ジェンベは伝統的に、ドゥンドゥン(dundun)またはドゥヌン(dunun)と呼ばれる複数のベース・ドラムと組み合わせて演奏されます。ドゥンドゥンは両面に皮を張った筒状のドラムです。伝統的スタイルのドゥンドゥンは、しっかりした木をくり抜いて作られていますが、最近ではさまざまなサイズのドラム缶で作られることもあります。ドゥンドゥンが作られるようになったのはジェンベより数百年前のことで、マニンカ音楽のみで使われていました。ギニアでは3つのセットで演奏されることが多く、それぞれその音にちなんで小さいものからケンケニ(kenkeni)、中くらいのものは*1サンバ(sangba)、大きいものはドゥンドゥンバ(dundunba)と呼ばれています。マリではコンコニ(konkoni)、ドゥンドゥン、ドゥンドゥンベレベレバ(dundunbelebeleba=とても大きなドラム)と呼ばれるものも使われます。マリ南部の最西端の地域では、ドゥンドゥンはジェリ(jeli)の楽器だとされています。ジェリはグリオ(griots)とも呼ばれ、代々音楽や物語を通じて文化的・社会的アイデンティティを継承していく役割を担っている職能集団です。ジェリのスタイルでは、ドラムを肩からかけ、片手で(トーキング・ドラムのスティックのように)角度のついたスティックを、もう片手で小さいベルを(金属製の親指リングで)使って打ちます。ギニアではドゥンドゥンは横向きに置かれることが多く、片手でスティック、もう一方の手でドラムの側面に取り付けられたベルを金属製のビーターで叩きます。マリでは、2つのセットまたは1つのドゥンドゥンを、ベルを使わずに使うことが多いです。

ドゥンドゥン(バレー・スタイル)

ドゥンドゥンのテクニックにはオープン・ストローク(スティックがヘッドでバウンドする)と、クローズまたはプレス・ストローク(スティックでヘッドをミュートする)があります。ドゥンドゥン3つのセットは、打面の高さを揃え、縦に置いて演奏されることもあります(アフリカン・バレエ・スタイル)。

中音ドラムのサンバは、そのリズムの特徴を成す中核的リズムを担当することが多く、アンサンブルの他のプレイヤーを支えています。ドゥンドゥンバはサンバのアンサー・パターンにレスポンスする形で特定のパターンを、ケンケニは通常、いろいろなリズムで兼用される単純な*2オスティナートを演奏します。ドゥンドゥンは通常サポート・パターンをキープしてジェンベにソロ・プレイをまかせますが、ドゥンドゥン・パートにも、ヴァリエーションやキュー、インプロヴィゼイションのためのスペースがあります。ドゥンドゥンはジェンベ音楽の中心と考えられており、そのため経験を積んだプレイヤーが担当しています。

*1：サンバンと呼ばれることもある
*2 ostinato：同一音型やリズム型をくり返し用いること。しばしばバス(ベース)・パートで見られる

ジェンベ音楽のアンサンブルは、ドゥンドゥン１つのものから、３つのドゥンドゥンと２～３のリズム・キープ用ジェンベとリード・ジェンベ１つというフル・グループで行われるものまで、さまざまな形があります。この他に、編み紐型のラットル、ジータ（gita=ひょうたんボウルのラットル）、ヤバラ（yabara=小型のひょうたん製ラットル）、*1ワサンバ（wasamba=クラッパー）、バラ（シロフォン）、クリン（ログ・ドラム）、フィレ（file=横笛）、ボロン（bolon=３弦のベース・ハープ）、*2コラ（kora=21弦ハープ）、コニ（koni=小型のリュート）が、さまざまな組合せで使われることもあります。

ジェンベ音楽の最も一般的なアレンジは、２つのジェンベ・パターンと３つのジドゥンドゥンで演奏するものです。

マニンカの伝統的リズムに加えて、セネガルの*3ウォロフ・サバール・ドラミング、ガンビアのクティロ・ドラミング、セネガル西部のジョラ族のブガラブーのリズムなど、多様性に満ちたリズムが取り入れられていることもあります。また、ジェンベのリズムは地域によって地元のフレーバーが加わって少し変化していることもあり、同じリズムでもたくさんのヴァリエーションが存在します。ジェンベは多くの言語グループによって演奏されているため、言語の違いにより同じリズムが異なる名前で呼ばれることもあります。それと同時に、異なる地域では、違うリズムが同じ名前で呼ばれていることもあります。さらに、ある地域のミュージシャンたちが他の地域または部族にちなんでリズムに名前をつけることもあります。マラカまたはマラカドン（マラカの人びとの踊り）は前者の例、ジェリドン（ジェリ族の踊り）は後者の例です。

ジェンベを演奏する人びとの多くが、西アフリカで伝統的リズムと音楽を学びます。ジェンベを楽しみ音楽を演奏するために伝統的な音楽を学ぶのが必須事項ではありませんが、西アフリカの音楽や伝統の背後には長く豊かな文化的歴史があるため、ジェンベを学ぶ人は、ますます西アフリカの音楽や人びとへの理解や尊敬の念を深めるようになっていきます。現在世界中に、西アフリカ音楽の教室があり、先生がいるようになりました。その情報については、KalaniMusic.comを参照してください。

オープン・ストローク

クローズ・ストローク

*1 wasamba：ひょうたんを丸く切り取ったものを重ね合わせた楽器
*2 kora：21弦楽器でギターとハープの中間的な楽器。非常に繊細かつ素朴で、一度聴いたら忘れられないような美しい音色をもつ
*3 Wolof sabar：日本では、ウォロフ・サバールではなく、単にサバールと呼ばれている。また、サバーと呼ぶ人もいる

リズム・アレンジメント

以下は、ジェンベとドゥンドゥンで演奏される３つの一般的リズムのシンプルなアレンジです。この３つは、さまざまなフィーリングを代表するものとして選びました。それぞれ、ストレートなリズム(4/4拍子)、スウィングするリズム(12/8拍子)、３連符のリズム(12/8拍子)です。それぞれのアレンジはケンケニから始まり、サンバ、ドゥンドゥンバが加わり、ジェンベ１、ジェンベ２が入ります。その後、それぞれのパートが楽譜の順番に演奏されます。最後に、５分間のプレイ・アロング・トラックが収録されています。ここに掲載したリズムその他のたくさんのリズムのさらに詳しい説明は、DrumLesson.comで見ることができます。

カサ(Kassa)は、ギニア・クルサ地方の収穫のリズムです。ストレート・フィールのリズムの例です。

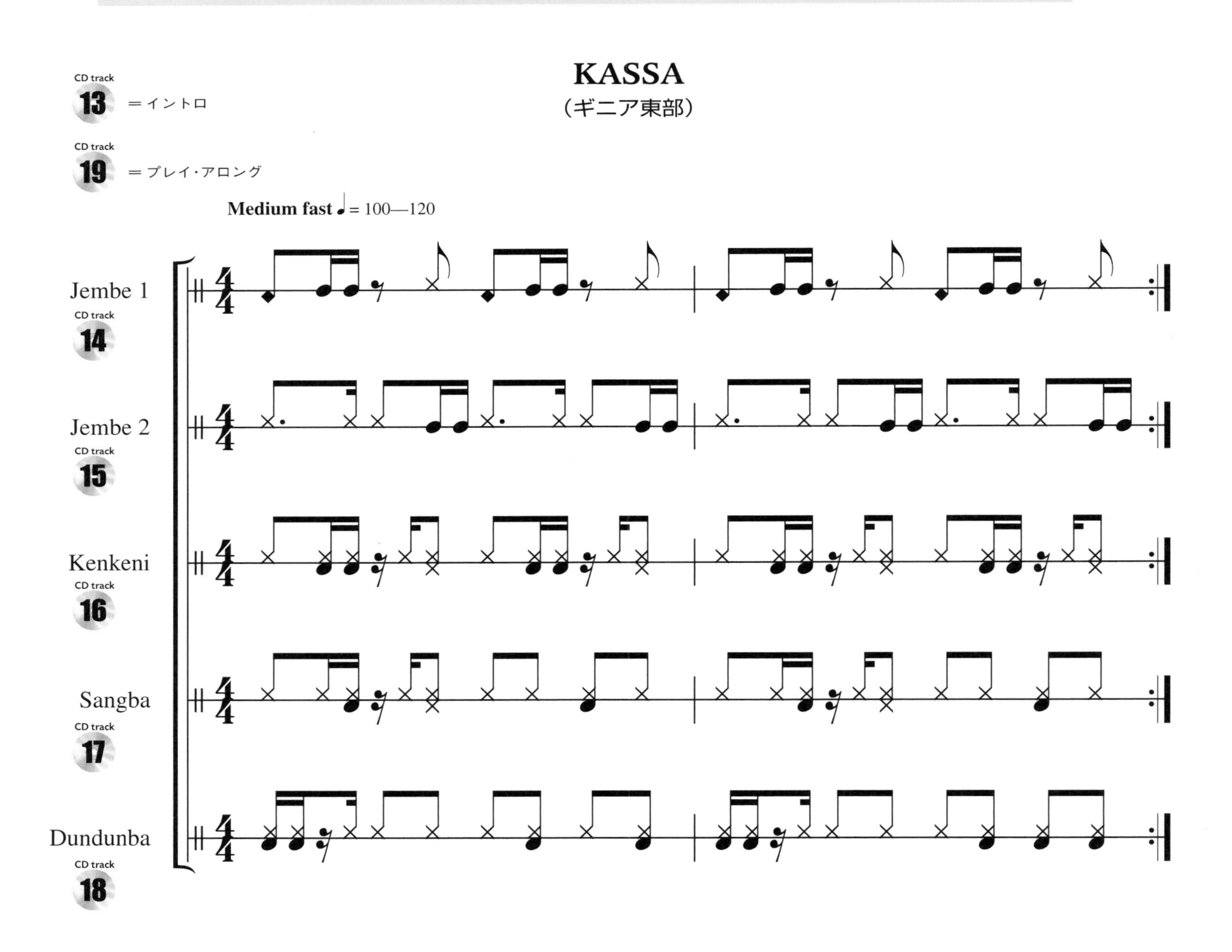

Key
- ● ＝ オープン・トーン
- × ＝ ベース・トーン、ドゥンドゥン・プレス、ベル
- ◆ ＝ ベース・トーン

ダンサ(Dansa)は、若い人びとの社交のためのリズムです。このリズムはスウィング・フィールでプレイしています。

DANSA
（マリ南部）

CD track 20 ＝イントロ

CD track 26 ＝プレイ・アロング

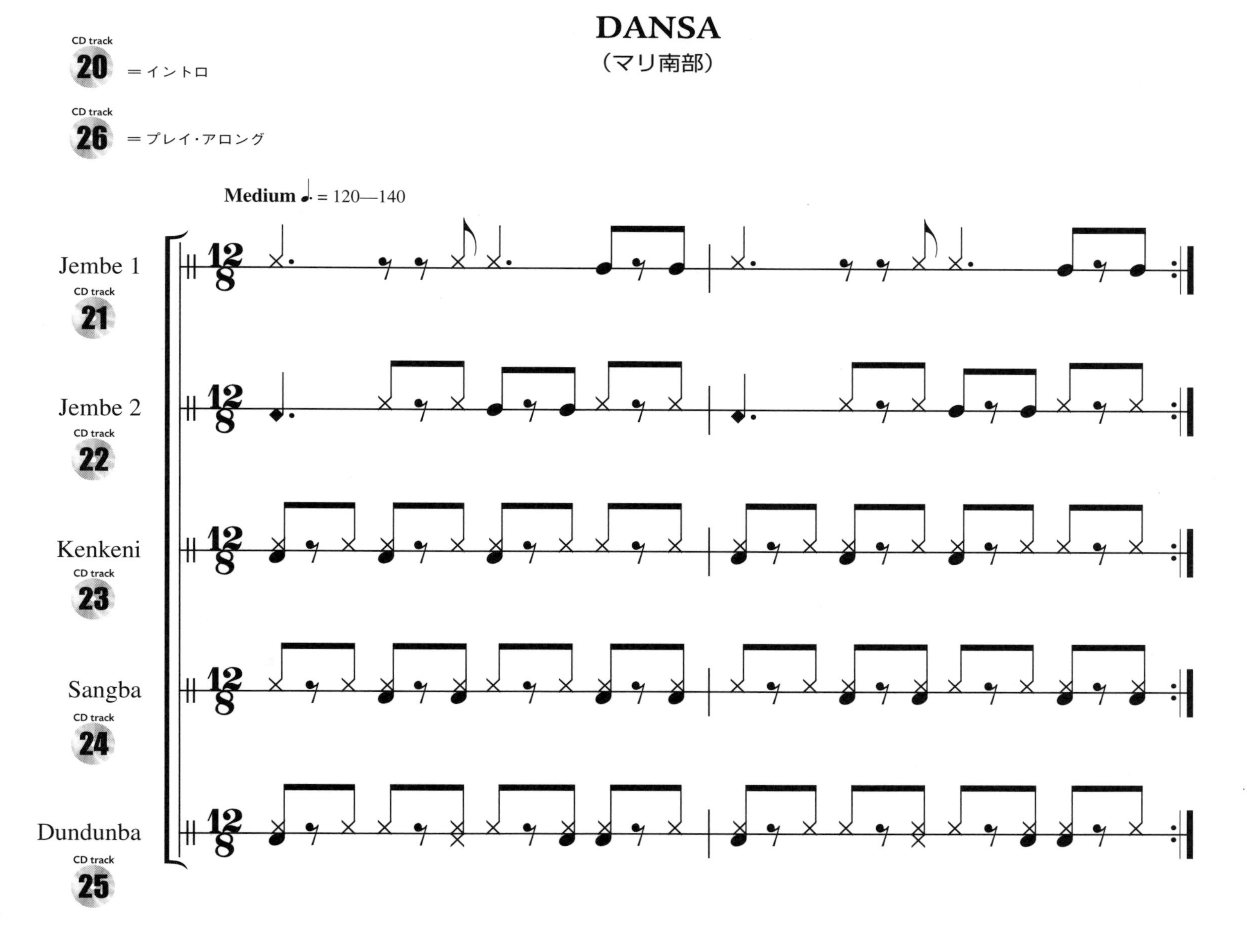

Key
● ＝ オープン・トーン
× ＝ ベース・トーン、ドゥンドゥン・プレス、ベル
◆ ＝ ベース・トーン

ドゥンドゥンバ(Dundunba)は一番大きなドゥンドゥンにちなんで名づけられたリズムで、ギニア東部ハマナ地域とクルサ地域で生まれました。特色のある男性の踊りのためのリズムで、しばしば男性が自らの技や強さを見せるための強い男たちのダンスと、呼ばれています。ドゥンドゥンバには、さまざまなバージョンがあります。ローリングする3連フィールのリズムの例です。

Key
- ● ＝ オープン・トーン
- × ＝ ベース・トーン、ドゥンドゥン・プレス、ベル
- ◆ ＝ ベース・トーン

クリエイティヴィティを加えるには？

それぞれのリズムの演奏法をよく知ること、そして場合によっては、そのリズムが演奏される理由を考えることは大切ですが、特定のリズムを演奏する際に**1つの方法しかない**と思い込むと、あまり役に立ちません。音楽は、時間や変化という川の流れの中に存在しているといえます。ジェンベ・プレイヤーの中には、自分は**本物の西アフリカの**先生に習ったので、あるリズムについては自分の演奏だけが**正しい**奏法であり、他のバージョンは誤っているという立場をとっている人がいます。しかし最も重要なことは、音符の背後にあるフィーリングではないでしょうか？

ここで重要な点は、さまざまな地域、時期、国のマスター・ドラマーによって教えられるリズムの中には、いろいろなドラムの奏法やヴァリエーションがあるということです。私がジェンベを学ぶ人びとに望むのは、互いを監視したり批判したりするのではなく、音楽を演奏する元来の意味や、アーチストとしての道を進むという、より大きな視点をもってほしいということです。私たちは、生きていることを喜び合い、多様性や変革を歓迎するべき存在なのです。初心者は入門を許されるべきであり、アドヴァンス・プレイヤーは初心者であったことを思い出すことにより基本に戻るとともに、ドラミングや特定のジャンルの門戸をたたく人びとを支え、導いていくことを望みます。

Chapter 8　ドラムのケア

ドラム(ヤギ皮を張ったジェンベ)は使用する時以外は、チューニングを下げておきましょう。ジェンベのヘッドは、長い間テンションがかかった状態で放置すると、破れてしまいます。演奏に適したピッチにチューニングを上げたまま閉め切った車に乗せたままにしておくと、乾燥して破れる可能性が高くなります。また、湿度の高い場所からエアコンの効いた部屋に持ち込んだ場合も同様です。安全な形で演奏したら、使わない時にはテンションを下げておきます。

私は演奏中にはなるべく皮を強く張りますが、その他のほとんどの場合は、ドラムを練習用のピッチ(演奏用のピッチより少し低い程度)にしておきます。これにより、天候の変化があってもヘッドが長持ちします。私の場合、置いておいたドラムが破れることはあっても、演奏中に破れたことはありません。天候の変化によってヘッドが破れた体験をもつ人の話を聞いてみましょう。演奏の度にチューニングを上下するというちょっとした手間をかけることは、ヘッド交換よりずっと簡単です。

ヘッドが乾燥したら、ハンド・ローションを塗るとよいでしょう。ヘッドにローションを塗り広げ、数時間放置してから乾いた布で余分なローションを拭き取ります。木を彫って作られたボディには、レモン・オイルを塗るとよいでしょう(薬局または金物店で入手可能)。ボディにオイルを塗り、十分しみ込んだら、乾いた布で余分なオイルを拭き取ります。

ケース

ドラムを運ぶ際に、ケースに入れることはとても重要です。私はいつもそうしています。ジェンベ・ヘッドは極度に薄く破れやすいので、鋭利なものにわずかに触れただけでも破れてしまうことがあります。そのためには、最良のケースでジェンベを保護することを、強く勧めます。さまざまな種類のハード・ケースとソフト・ケースが販売されています。また、ドラムヘッド・カバーやキャップ(プラスチックまたは木製の板の入ったもの)も利用して、二重に保護するのもお勧めです。

伝統的ドラムのヘッド交換

ヤギ皮は、経年劣化、乾燥、テンションの上げすぎによっても、破れることがあります。ヘッドが破れるのを喜ぶ人はいませんが、伝統的スタイルのジェンベを張り替える必要がある場合は、以下を参考にしましょう。

必要なもの

1. ジェンベのボディとリング
2. ヤギ皮
3. 4mm径のポリエステル・ロープ17m(縦ロープ用)
4. 4mm径のポリエステル・ロープ2m(横ロープ用)
5. 平らなカミソリ(シングル)
6. 粗〜中のサンドペーパー
7. 万能はさみ
8. ペンチ
9. 木のスティック

あると便利なもの

1. ウッド・フィラー(目止め剤)または5分型エポキシ樹脂
2. マッチまたはライター
3. レモン・オイル
4. 大きめのバケツ
5. マジック・ペン
6. ロッキング・プライヤー
7. ロープ・プラー(チューニングの道具)
8. タオル

破れたヘッド

新しいヘッドを水に浸す

破れてしまったヘッドをドラムからはずす前に、新しく張る皮を水に浸します。これは屋外でバケツを使って行うことをお勧めします。もちろん浴槽に浸してもかまいませんが、強い臭いがするためお勧めできません。どちらの場合も、古いヘッドを取り除く間、ヤギ皮をしっかり浸しておきましょう。

古いヘッドを取り除く

ヘッドを取り除く前に、上下のリングの位置のマークをつけておくと便利です。ジェンベのボディのほとんどは、完璧な円になっているわけではなく、リングは時とともにボディに沿った形になっています。マジックでリングとボディの双方に、小さい点を書いて印をつけておきます。それを目印に、新しいヘッドを張る時にリングとボディを合わせることができます。

古いヘッドをはずすには、横ロープをすべて引き出し、ダイヤモンド・ノットをほどきます。次に縦ロープをゆるめていきます。縦ロープと横ロープが１本のロープになっているドラムでは、横ロープをほどいたら、それにつながる縦ロープをゆるめましょう。縦ロープと横ロープがつながっていない場合もあります。制作者によって、方法が違うのです。縦ロープは、リングをボディから取り外すのに必要な分だけ、ほどきます。通常は５～６列程度ほどけばだいじょうぶです。*1上のリングを持ち上げて、ヘッドを取り外します。ヘッドの中には*2もう１つのリングが巻き込んでありますので、それも外しましょう(次ページ写真参照)。

*1 カウンター・フープ。押さえ枠、締め枠とも呼ばれる
*2 フレッシュ・フープ。皮で巻き外からは見えないリング

ボディの準備

ボディにひびや割れ目が生じていないか調べます。あればウッド･フィラーまたはエポキシ樹脂で簡単に修理できます。エポキシ樹脂を説明書にしたがって混ぜ合わせ、固めの段ボール片かプラスチック片とともに割れ目に流し込みます。これによって、割れの修理ができるばかりでなく、割れ目が広がるのを防ぎます。新しいヘッドのチューニングがスムーズに進むように、皮の当たる部分にサンドペーパーをかけるとよいでしょう。中くらいの粗さのサンドペーパーが適しています。ボディをきれいにして、でこぼこを取り除く程度に軽くかけます。ボディのかけた部分は、サンディングする前に修復しておきます。

ボディがロープで覆われていないこの機会に、内外の手入れをしましょう。入手が簡単なレモン・オイルがお勧めです。柔らかい布でボディの内側と外側、縁の部分にオイルを塗ります。余分なオイルは、きれいな布で拭き取りましょう。

新しいヘッドを取り付ける

皮に付いた汚れや土などは水ですすいで取り除き、必要があればブラシをかけます。布で余分な水分を拭き取ります。次に、脚で皮の一方の端を押さえ、両手でもう一方の端を引っ張って、伸ばします。これにより、ヘッドが乾く課程で縮むのを防ぐことができます。毛の生えた側を上にして、背骨の部分がボディの中心を通るように皮を乗せます（写真左参照）。古いヘッドから取り外したフレッシュ・フープを乗せます。この際、最も良い位置を探すために、少し回してみるとよいでしょう。このリングもまた、その上にあったリングと同様、時間が経つに連れてボディに合ったものになっているからです。

皮をフレッシュ・フープを包み込むように中心に向かって内側に折り込みます（写真右参照）。カウンター・フープを乗せて、２つのリングの間に皮がはさまるようにします。古い皮が張ってあった時と同じ角度に、リングが収まるように気をつけましょう。ボウルの下側の小さいリングを水平にしながら、縦ロープを元に戻します。３つのリングが均等にセンターにくるよう注意を払いながら、手で縦ロープを締めていきます。ドラム上部の２つのリングは、水平になるように上からボディに押し付けます。ヘッドが均等に、リングの中で二重にならないようにしましょう。二重になっている部分はペンチでひっぱって修正し、ヘッドがボディの縁から1cm程度下がるくらいまで、縦ロープを締めましょう。

皮の中に入るリングを乗せる

いちばん上のリングの位置

リングと縦ロープを使って
取り付けられたヘッド

リングから出た余分な皮は、リングを覆うような形に下向きにかぶせてもかまいませんし、切ってしまっても大丈夫です。皮でリングを覆う場合は、あまったロープで巻いておきます。そして、カウンター・フープがちょうど隠れる長さに切ります。皮がカウンター・フープを覆わないスタイルにしたい場合は、フレッシュ・フープから抜けてしまわない長さであることを確認しながら、注意して切りましょう。切る場合にはヘッドの回りに余分なロープを巻き付け、皮が浮かないようにしてから、カウンター・フープから約1cmを残して、カミソリかはさみで切ります。

ヘッドを剃る

皮の毛を剃るには、平らなカミソリの刃を用います。取りかかる前に、ヘッドの皮自体を切らないように、カミソリの端を丸くしておくとよいでしょう。カミソリの端は、サンドペーパーややすりを使うか、コンクリートや石の地面にこすりつけると丸くなります。

次に、カミソリの真ん中を押して、平面が弧を描くように持ちます。そうすることで、カミソリの端で皮を切ってしまうのを防ぐことができます。

皮がぬれている間に剃るのを好む人と、乾燥してから剃るのを好む人がいます。ぬれている状態で剃る場合には、カミソリが皮とほぼ平行になるようにして、軽く当てます(写真参照)。引いて剃っても押して剃ってもかまいません。乾いた皮を剃る場合には、カミソリをほぼ垂直(80度程度)にして、強めに当てて、引きながら剃ります。どちらの方法でも、毛の生えている方向に沿って剃ります。カミソリが横滑りして皮を切ってしまわないように気をつけましょう。また、カミソリは均等に当てるようにしましょう。ドラムのリム付近では、とくに注意して剃ります。

毛を全部剃り終わり、皮をさらに乾燥させる段階にきたら、中くらいの粗さのサンドペーパーで表面を滑らかにします。次に、少量のローションを塗ります。ジェンベ上部の下側のリングに巻き込まれた皮の部分が十分乾燥するまで数日待ち、それから演奏用のピッチにチューニングします。

皮が乾いたら、縦ロープをできるだけ強く締めます。この際、ロープ･プラーを使うと便利です。プラーとは、棒にロープをかける部分のついている道具のことで（写真参照）、縦ロープに大きな力をかけて引くことができます。この段階で必要なのは、このロープ･プラー、タオル（ボディを傷づけることを防ぐ）、ロッキング･プライヤー２本です。

ヒント：ロッキング･プライヤーのはさむ部分をやすりで滑らかにしておくと、ロープの損傷が防げます。

ロープ･プラーを使うには、まずドラムの上にまたがり、ロープのはじまりの部分の10～12cmのところをプラーのひっかけに固定します。緩み部分を引いたら、次の縦ロープを手で引いて締めます。次に、タオルを次にプラーの当たるところに移動させます。プラーを次の縦ロープ位置に移動させます。ロープをプラーのひっかけ部分に巻き付け、強く引きます。十分引けたら、ドラム上部のループ付近をロッキング･プライヤーで固定し、ロープがすべって戻らないようにします。ロープをプラーからほどき、緩んだ部分を引き、次の縦ロープへと移動します。こうしてすべての縦ロープを順番に締めていきます。

ロープ･プラーのない場合は、手でできるだけ強く締めます。軍手やスティックを利用して、マメができないように気をつけましょう！

ダイヤモンドを引く

ヘッドを演奏用ピッチにチューニングするには、さらにロープを使ってマリ・ウィーヴにする必要があります。下のリングのどこでもよいので、ループに２m程度のロープを取り付けます。ほどけてしまわないよう、しっかりと結びます。p.14の**チューニングによりテンションを上げる**を参照して、マリ・ウィーヴを作ります。これを好みのピッチになるまでくり返します。 １列を締め終わったら、そのまま次の列に移ります。この時、横ロープによってできる三角形ができるだけ小さくなるよう注意しましょう。

ドラムは通常、ダイヤモンド２列程度で完成です。皮が伸びるにしたがって、横ロープでさらに締める必要が生じることもあります。最終的には皮が伸び終わり、さほどチューニングの必要がないという状態になります。

近代的スタイルのドラムのヘッド交換

近代的スタイルのジェンベを使っている場合、交換用ヘッドを替えるのは、とても簡単です。交換ヘッドは、楽器店で購入できます。

すべてのナットをゆるめ、テンション・ロッド、リング、古いヘッドを取り外します。新しいヘッドを平らな場所で裏返しに置き、半分くらいまで水を入れます（必要な油分が取れてしまうので、ぬるま湯や熱いお湯は絶対に入れないこと）。皮が柔らかくなったら水を捨て、水気を拭き取ってドラムに乗せます。リング、テンション・ロッド、ナットを取り付けて、半分のピッチになるまで締めます。この状態のヘッドはとても破れやすいため、緩すぎても締めすぎてもいけません。ヘッドが完全に乾いたら、演奏用のピッチにチューニングして、それから演奏を楽しみましょう。もしとても急いでいて、皮が乾燥するのを待つ時間がない場合には、ヘッドを濡らさずにそのまま取り付けます。この場合は演奏用ピッチまでチューニングすることはできますが、一度濡らしてから取り付けた時ほどは、ボディになじむことはありません。手入れには、ヘッドに少量のハンド・ローションを塗りましょう。余分なクリームは乾いた布で拭き取ります。

多くの場合、近代的スタイルのジェンベには合成皮のヘッドが使用してあります。自分のドラムにどのヘッドが最も適しているかは、打楽器に詳しい楽器店に相談するとよいでしょう。

世界のパーカッション・ガイド

ドラム・サークル《オーディオ／ヴィジュアルCD付》

Drum Circle / A Guide to World Percussion

Chalo Eduardo & Frank Kumor 著

定価［本体3,500円+税］

世界のパーカッション・ガイド／ドラム・サークルは、世界４大陸の打楽器のテクニック、音色、歴史とさまざまなリズムについて紹介しています。本書はそれらを学ぶための手がかりや各文化に固有の主要リズム、歴史や伝統的なスタイルの概観を自分のものとすることを目的としています。取り上げた楽器のガイドブックとして、近年得られた多くの譜例を掲載しています。

異なる楽器でも類似した奏法を共有することがあるため、文化にこだわらずに似た楽器をグループ化し、各章で取り上げてあります。同じグループ内の楽器はアンサンブルの中で持ち替えて演奏することができます。

各楽器のチューニングの方法と構え方を読み終えたら、演奏の準備が整います。正しく演奏するための技術的なポイントが楽器ごとに説明され、続いてリズムやドラム・アンサンブルでのアレンジ例を記してあります。

本書においては２とおりの方法でリズムと練習例を、従来の楽譜と拍子単位のタイム・ユニット・ボックスを使った記譜法で掲載しています。さらに楽器の音色を声で表現することができる場合には、そのような伝統的な方法も取り入れてあります。

本書の内容

ハンド・ドラム【コンガ、チンバウ、ジャンベ、ドゥンベック】
フレーム・ドラム【タンボリン、タール、ボラン】
ジングル付フレーム・ドラム【パンデーロ、リック、タンバリン】
ベース・ドラム【スルド、ジュンジュン、タンタン】
ベル（シングル・ピッチ／マルチ・ピッチ）【トライアングル、カウベル、アゴゴ、ガンコーギ】
リズム楽器【シェケレ、ガンザ、カバサ、スネア・ドラム、マラカス、グィロ】
可変ピッチの楽器【トーキング・ドラム、クイーカ、ビリンボウ】　**コール・ドラム**【ティンバレ、ヘピニケ】
世界の伝統的なドラム・アンサンブル
【中東、西アフリカ、キューバン・ルンバ ー ワワンコ、ブラジリアン、マラカトゥ・バーキ・ヴィラード】
世界のビート・アンサンブル、ワールド・パーカッションのアンサンブル、楽器とリズムの選定、基本構造

本書に付属のオーディオ／ヴィジュアルCDにはオーディオ・トラックだけではなく、コンピュータで再生すると、実際の奏法を動画で見ることができます。音だけでは分からなかった奏法を確認しましょう。

2007年日本語版出版予定

すぐにわかるコンガの世界 **オーディオ・アバウト・コンガ**

All About Congas　【オーディオ・ヴィジュアルCD付】

by Kalani

タイトルが示すとおり、チューニング・ヴァリエーション、ハンド・ポジションや基本パターンなどの基礎から、ゴースト・トーン、スラップ、フィンガー＆ハンド、ベース・トーンなどのミックス・パターンやメンテナンス、皮の張り替え方まで、初心者に必要なコンガに関するすべて要素が収められています。

付属のオーディオ・ヴィジュアルCD (エンハンスドCD)には、すべての演奏パターンの模範演奏の映像と音が収録されています。

本書の内容

Chapter 1　コンガの歴史と背景について
Chapter 2　ドラムのタイプと構造
Chapter 3　チューニング
Chapter 4　演奏のポジション
Chapter 5　演奏テクニック
Chapter 6　手とリズムのエクササイズ
Chapter 7　リズム・パターン
Chapter 8　ドラムのケア

定価［本体2,800円+税］

ペッカーの
ジャンベ・アンサンブル入門 《模範演奏CD付》

ペッカー　著・演奏

本書は、楽しく**ジャンベ**が叩けて、みんなでアンサンブルが楽しめるように書かれています。ジャンベのアンサンブルに欠かせない楽器に**ドゥヌン**(Dunun)=**ジュンジュン**(Djun-Djun)という日本の和太鼓のような大きな太鼓があります。畑仕事をするときに使われる道具の鍬(くわ)を折り曲げて作ったBell(ベル)と同時に叩きます。一般的にジャンベの世界では、このドゥヌン＝ジュンジュンが必ず一緒に演奏されます。本書はジャンベとドゥヌン=ジュンジュンの組み合わせで構成されていて、低音域から高音域までの広い音域がアンサンブルのなかで楽しめます。本書は専門書のように深い技術、知識を得ることが目的ではありません。しかし、地球上のどこで生まれたか、どんな人たちが文化として育んできたか、音楽、リズムを演奏するのに必要となるノウハウが身につくように書かれています。本書を初めから順番に練習して、焦らず、楽しみながらジャンベ・アンサンブルを身につけましょう。

定価［本体2,800円+税］

ポンチョ・サンチェス　コンガ・クックブック《CD付》

Poncho Sanchez' Conga Cookbook

Poncho Sanchez with Chuck Silverman　著

あなたのコンガテクニックを上達させてくれる
ポンチョの大好きなレシピがたくさん掲載されてます
あなたもこれでアフロキューバンの達人になろう

チャプターに別れておりチャプターごとにリズムを紹介しているので、興味のあるところからいろいろなリズムを学ぶことができます、付属のCDにはポンチョとワールドクラスのバンドが演奏しています。

コンガ・クックブックの目的
コンガの歴史
コンガの記譜
コンガの基本　レシピ：煮豆の炒めものとスパニッシュ・ライス
チャチャチャ　レシピ：チキン、コーン、ズッキーニ
マンボ　レシピ：チリ・コン・ソール
6/8リズム　レシピ：クラムソースのリングイネ
メレンゲ　レシピ：ポソル
ソロ　レシピ：ミートボール・スープ

定価［本体3,800円+税］

現場で役立つ豊富な臨床例、分析と対応

ミュージック・セラピスト・ハンドブック

Suzanne B. Hanser 著

本書は、音楽療法士、医療専門家や学生がセッションを組み立てる際のガイドとして書かれています。子ども、成人、高齢者や、障害児(者)のための新しい音楽療法の臨床方法、活用法、参考になる事例、実話を数多く取り上げている本書は、すぐに実際の現場で活用できるこれまでに類のない音楽療法書です。

著者について

フロリダ州立大学にて音楽の学士号と修士号を取得。コロンビア大学にて教育の博士号を取得。博士課程終了後、National Institute on Agingの全米研究調査賞を受賞し、スタンフォード大学薬学部で特別研究員として老年学の研究を行う。パシフィック大学の学部長、全米音楽療法協会の会長、およびサンフランシスコ地域のアルツハイマー協会のプログラム・ディレクターを務める。現在、世界音楽療法連盟会長。

ファシリテーターのためのドラムサークルの創り方・楽しみ方

アート・アンド・ハート・オブ・ドラムサークル

The ART and HEART of Drum Circles 《リズム・サンプルCD付》

Christine Stevens 著

定価［本体2,500円+税］

みんなで輪(サークル)になってドラムを叩く、それがドラム・サークルの始まりです。サークルの中心でリズムを導いていく役割のファシリテーターは、音やリズムを通して参加者が自己の能力に気づいたり、ありのままの自己や他人を受け入れたりする、その手助けをすることが使命です。Teaching without teaching (教えることなく指導する)が基本です。

ファシリテーターのためのドラムサークルの創り方・楽しみ方というサブ・タイトルがつけられた本書は、ファシリテートの2つの側面、アート(表現)とハート(人、心)を取り上げています。

ドラムサークルのファシリテーターは、ドラムサークルの先生ではありません。グループの人たちを動かして、彼らが自分の体内に潜んでいるリズムに気づくように助言し、導いていく、コーチのような存在です。

ファシリテーターがドラムサークルを始めたいと思っているあらゆる場所で、ドラムサークルを始める力を与えてくれるさまざまな方法が書かれています。

日本語字幕入りDVD

アート・アンド・ハート・オブ・ドラムサークル

by Christine Stevens

定価［本体4,300円+税］

このDVDは、著名な執筆者であり、音楽療法士でドラムサークルのファシリテーターでもある*Christine Stevens*が、あなたをドラムサークルの世界へ誘います。The ART and HEART of Drum Circlesは、自宅で数人の友だちと一緒に楽しみたいあなたに、企業の集まりにやってくる何十人もの人をどうやってガイドすればよいか学びたいと思っているあなたに、以下の内容でお届けします。(収録時間：1時間28分)

ハンド・ドラムやパーカッションのための基本的なテクニック
ドラムサークルをガイドするために最も大切な8つの合図
ファシリテーション・フォーマット：満足してもらえるグループ体験の組み立て方
ハート：人びとの生活に感動を与えるドラムサークル
理念と研究が示す健康とウェルネスのためのレクリエーションとしての音楽創り

リズムを通じて人間の可能性を最大限に引き出す

アーサー・ハル　ドラムサークル・スピリット《CD付》

Drum Circle Spirit

Arthur Hull 著

定価［本体4,200円+税］

本書は、リズム・イベントをとおして行うコミュニティ創りのための本です。本書では、さまざまな対象グループ別のサークルを紹介しますが、一般的モデルとしては、オープン・コミュニティ・ドラムサークルを使っています。

ファシリテーションは、人びとが一緒になり、1つのパーカッション・オーケストラとして音楽を創る際の手助けをすることです。本書で紹介するさまざまなツールを使い、美しい音楽を創り、コミュニティのニーズをサポートしましょう。

ファシリテーションを学ぶために、音楽やハンド・ドラムの教師である必要は全くありません。実際、音楽やハンド・ドラムの教師は、適切なファシリテートをするために、彼らがすでに知識としてもっているものをいったん捨て去らなくてはならないことが多々あります。あなたがもし、中学や高校の教師、または青少年カウンセラー、自己啓発グループ等のファシリテーター、音楽療法士、あるいはドラムサークルの参加者であるなら、本書の内容を、きっとあなたの音楽コミュニティ創りに生かすことができるでしょう。

本書は、基本的なファシリテーション原理の理解と、ドラムやパーカッションを使ったリズム表現をとおしてのコミュニティのエンパワーメントを目的として、あなた独自のユニークなスタイルを確立するためのものです。

定価[本体3,300円+税]

すべてのミュージシャンに贈る
ピーター・アースキン タイム・アウェアネス

《模範演奏＆プレイ・アロングCD付》　*Peter Erskine* 著・演奏

*Peter Erskine*がドラマーだけでなくすべてのミュージシャンに贈る、タイム（リズム）の真髄を極めるための教材！

ドラマーのための優れた教材を多数執筆している*Peter*が、数多くの偉大なアーティストとの共演および自らのキャリアを通して確立した知見を、すべての楽器プレイヤーのために伝授します。音楽を構成する基本３要素（リズム、メロディ、ハーモニー）の内リズムにフォーカスを当て、音楽をクリエイトするために必要なスキルを*Peter*ならではの切り口で解説しています。

具体的な内容

1．ビートの概念について
2．サブディヴィジョンについて
3．アンサンブルにおける各種のアプローチについて
4．さまざまなリズム・スタイルにおけるアプローチについて

定価[本体7,800円+税]

日本語字幕入2DVD付　アースキン・メソッド・フォー・ドラムセット

本書および２枚のＤＶＤは、ドラムスを演奏したいと思うすべての人を対象に創られています。今までに一度もスティックを握ったことがない初心者から、比較的洗練されたドラミング・アイディアまで、ピーター自身を成功へと導いたテクニックと極意をあますことなく、詳細に解説した必携のＤＶＤ/ブック！

- ドラムセットの基本
- グリップ
- 読譜と解釈
- 300以上のビート・プラクティスとウォーム・アップ・エクササイズ
- DVDのプレイ・アロング・トラックとコンプリート・チャート
- フィル、コンピング、ソロ、アンサンブル・プレイング、ブラシなどの奏法解説、および演奏のポイント

定価[本体3,300円+税]

ピーター・アースキン ドラムセット・エッセンシャル vol.1　CD付

- 手と足の基本的なテクニック
- 最大限の効果をあげるドラムセットのセット・アップ
- ロック、ポップ、ジャズのスタイル
- 基本的なタイム・キーピングのコンセプト
- スネア・ドラム、ベース・ドラム、ハイハット、ライド・シンバルのコーディネーション
- 練習のコツ
- チューニングとドラムセット／シンバルの選択
- 模範演奏＆プレイ・アロングCD 付

定価[本体3,300円+税]

ピーター・アースキン ドラムセット・エッセンシャル vol.2　CD付

- さらなるビート・パターンとリズミック・ヴァリエーション
- 初歩的なレベルから高度なレベルまでのフィルインとドラム・ソロ
- 少人数編成バンドや大人数編成バンドでの演奏の方法
- ドラムセットの楽譜の読み方
- ブラシ・テクニック
- 模範演奏＆プレイ・アロングCD 付

定価[本体3,300円+税]

ピーター・アースキン ドラムセット・エッセンシャル vol.3　CD付

- 発展的な演奏のコンセプト
- ブラシ・テクニック（vol.2の続き）
- ブラジリアン＆アフロ・カリビアン・ミュージック
- クラーヴェについての論考と解明
- 奇数拍子記号
- ライヴ、およびスタジオで演奏する時のヒント
- 音楽美学とプロフェッショナリズムについて
- 模範演奏＆プレイ・アロングCD 付

4つのベーシックな奏法を学ぶ
フレーム・ドラム《模範演奏CD付》
FRAME DRUM 4 - BASIC STYLE
大久保　宙：著・演奏

定価［本体3,000円+税］

フレーム・ドラムとは片面にヘッドがあるドラムのことで、数多くの種類と名称があります。フレーム・ドラムは、円形の木枠に動物の皮(牛、ヤギ、魚、トカゲ、鹿、クジラ、ヘビ)からできているヘッドをもつ胴と皮だけのシンプルな楽器です。これらは世界各地でさまざまに進化し、鈴や鉄の小さな輪、ジングルがついたタンバリンなどに発展しました。

本書では**グリップと奏法**を中心に近代的なフレーム・ドラミングを解説しており、基本的な４種類のフレーム・ドラムの奏法を学ぶことができます。本書に収められた４種類の奏法とさまざまなテクニックの中で、２ハンド・ポジション、シティング・ポジション(ニー・ポジション)は、著者がHartt Schoolの大学院時代に*Glen Velez*との定期的なプライベート・レッスンで学んだものが多くあります。１ハンド・ポジションは、フレーム・ドラムの初心者やドラムサークル、音楽療法の現場で誰もが容易に叩けるように、１本の手(利き手のみ)で演奏できるようにしてあります。

また、フィンガリングなどの表記は、インドのフィンガリング・テクニックを使用しフリーハンド・スタイルを作り上げた*John Bergamo*に強く影響を受けたものです。

フリー・ハンド・スタイルによる　**フレーム・ドラミング**
FRAME DRUMMING FREE HAND STYLE - THE BASICS　《CD付》
Peter Fagiola 著　　大久保　宙 監修

定価［本体3,000円+税］

ハンド・ドラム・テクニックの画期的なアプローチである本書は、ワールド・ミュージックの伝統に基づき、週末にドラムサークルを楽しむ方やプロのパーカッショニストにも最適です。テキストでは、スタンダードなリズム・パターンをわかりやすく解説してあります。**4つのベーシックな奏法を学ぶ フレーム・ドラム**を習得した人には、すべてのプレイヤーの創造的な潜在能力をひき出してくれるでしょう。

本書の主な内容
テクニック、リズム、読譜を強化させるエクササイズ
従来の記譜法とインドのリズミック・シラブルのミックス
手の位置を詳細に示したイラスト
ハンド・ドラム・ストロークの索引

例題より、CDによる模範演奏とプレイ・アロングが41トラック収録されていますので、聴いて学ぶだけでなく、一緒に演奏して楽しむこともできます。

直輸入版
以下の商品は、直輸入版につき、通信販売のみのお取り扱いとなります。
詳細は、ホームページ **http://www.atn-inc.jp** または **FAX 03-3475-6983** にてお問い合わせください。

African Percussion ［CD付］
by Serge Blanc

最近、アフリカの伝統音楽、特にパーカッションが注目されています。そんな中でこの本はDjembe（ジャンベ）という楽器のアフリカンルーツを解説すると同時に奏法をわかりやすく説明しています。

ここで紹介されるレパートリーは、単に**アフリカ調**のものではなく、すべて正真正銘の伝統的リズムです。Djembeを本格的に学ぼうと望むなら実際に西アフリカを訪れ、地元ミュージシャンと一緒に演奏し、直接Djembeの文化に触れることがもっともよい手段でしょう。

しかし、それが不可能の場合は、この本と付属CDを参考にしましょう。正確に追求し、情熱が注がれた本書によって、あなたがDjembeを演奏する喜びに目覚めることを願っています。

定価［本体3,500円+税］

和太鼓用シラブル付

和太鼓アンサンブル 導入曲集

《模範演奏＆マイナス・ワンCD付》

大久保　宙：著

2002年度より日本古来の伝統芸能にふれることを目的として、小学校、中学校および高等学校の音楽教科に和太鼓、三味線、琴などの邦楽楽器が取り入れられるようになりました。本書 **和太鼓アンサンブル 導入曲集** は、日本古来の楽器である和太鼓を取り上げ、和太鼓の名称、バチの持ち方、構え方などの基本から学び, 和太鼓に親しみながら、アンサンブルをやさしく楽しく指導できる導入曲集です。

本書に収められた楽曲を練習するときは、各曲の楽譜の前にある解説ページをよく読んで指導しましょう。最後の楽曲「**八木節**」では、通常の器楽合奏で使用するリコーダー、鍵盤ハーモニカ、鍵盤打楽器、小太鼓、大太鼓、ベースなどの楽器と和太鼓がいっしょにアンサンブルができるようにアレンジしてあります。

すべての楽曲は、付属CDで模範演奏を聴くことができます。テンポの速い楽曲は、テンポを落としたスロー・バージョンとの２種類が収録されています。後半の八木節にはマイナス・ワンも入っており、CDといっしょに練習することもできます。私たちの心に響き、魂を揺るがす和太鼓のサウンドを十分に楽しみましょう。

内　　容：和太鼓について、長胴太鼓としめ太鼓、バチの種類、バチの持ち方、構え方、太鼓の打ち方、太鼓の並べ方、手づくりの打楽器、よりよい練習をするために

実 践 曲：打ち始め、まつり、架け橋、勇ましく、太鼓のワルツ、雅太鼓、J-STEP、八木節

定価［本体3,000円+税］

和太鼓＆パーカッション・アンサンブル

大久保　宙：著・演奏

《模範演奏＆マイナス・ワンCD付》

本書は、和太鼓の初心者から上級者、新しい和太鼓の可能性を求める人、音楽教育者、吹奏楽の打楽器パートにお勧めの曲集です。

本書では、和太鼓だけのアンサンブル、和太鼓とパーカッションのアンサンブルを楽しむことができます。また、和太鼓の曲は、パーカッション・アンサンブルでも楽しめるように説明されています。

すべての練習曲には、その楽曲を学ぶための基本パターン集があり、そのパターン集を練習することにより、スムーズに演奏することができます。

著者でパーカッショニストの大久保宙のオリジナル曲を中心に構成され、最終曲には民謡のソーラン節が掲載されています。付属CDにはマイナス・ワンも収録されており、CDの演奏と合わせて練習することもできます。また、テンポも標準テンポに加えて、スロー・テンポの２つのバージョンが収録されて、より学びやすくなっています。

使用楽器：和太鼓、スネア・ドラム、バス・ドラム、木琴、鉄琴、マリンバ、タムタム、シンバル、トライアングル、タンバリン、ベース、コンガ、ボンゴなど

和太鼓アンサンブル 〜導入曲集〜で好評だった、雅太鼓の中級者向けアレンジも収録されています。

和太鼓＆横笛／フルート アンサンブル曲集

大久保　宙、朱鷺　たたら：共著・演奏

《模範演奏＆マイナス・ワンCD付》

本書の特筆すべき魅力は、日本の笛には自然な、さし指というテクニックを装飾音で記譜したということです。本書に収録しているオリジナル曲や新しい曲にも、民俗楽器独特のさし指奏法を使用しました。楽譜はすべて５線譜で書かれているので、横笛をフルートに持ち替えて、和と洋の楽器の異なる音色でアンサンブルを楽しむことも可能です。和太鼓には、すべてLR（手順）の指定をしてあるので、楽譜どおりに演奏すれば自然に笛とのアンサンブルを学べます。

曲 目：こきりこ節、うさぎ、わらべうたメドレー(ずいずいずっころばし〜とおりゃんせ〜山寺の和尚さん〜はないちもんめ〜あんたがたどこさ)、荒馬踊り、八丈恋唄、他

定価［本体3,300円+税］

あらゆるジャンルで、世界的に活躍しているパーカッショニスト大久保 宙が贈る
スネア・ドラムのための画期的なメソッド

基本リズムを学ぶ

スネア・ドラムのためのベーシック・リズム・メソッド《模範演奏CD付》

Basic Rhythm Method for Snare Drum

大久保　宙：著・演奏

定価［本体2,800円+税］

本書は、世界20カ国以上の国でコンサート、大学で講義などを行ってきた打楽器奏者・大久保宙が、そのノウハウをつめこんだ初のパーカッション教則本です。

本書は、ドラムの基礎を学ぶことをテーマに創られています。本書はページが進むにつれて、そのレベルの内容が難しくなっていきますが、初めてドラム、パーカッションを始める人がベーシックなことから挑戦できる内容になっています。後半になると内容も徐々に難しくなっていくので、経験者にもお勧めの１冊です。

本書の目的

•基本的なリズムの習得　•スネア・ドラム・テクニック　•音の強弱（ダイナミクス）　•さまざまなスタイルの拍子のトレーニング

本書の内容

•ウォーミング・アップ　•4分音符、8分音符、16分音符、3連符　•3/4拍子、1/4拍子、6/8拍子、3/8拍子、3/4拍子、5/4拍子、変拍子　•アクセント　•ダイナミクス　•パラディドル　•ロール、フラム、ドラッグ　•さまざまなリズム・パターンのコンビネーション　•マーチング・スタイル　•スネア・ドラム曲集

50の練習曲は、ベーシックなものから、4/4、3/4、2/4、5/4、3/8、6/8、3/2など、さまざまな拍子に対応しています。また、付属CDを聴きながら演奏の確認をすることができます。クラシックや吹奏楽だけでなく、コンテンポラリー・ミュージックのドラマーまで、ジャンルを問わず幅広く活用できます。

パーカッション＆ドラムスのためのリズム・パターン集《模範演奏CD付》

Repetition Movements & Music Progression Phrases for Percussionist & Drummer

大久保　宙：著・演奏

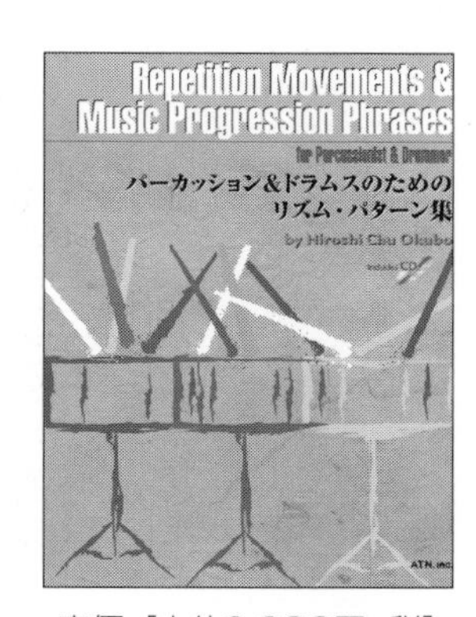

定価［本体3,000円+税］

本書は、スネア・ドラムのためのベーシック・リズム・メソッドと併用し、細かくいろいろなパターンのリズムを学びたい人、吹奏楽、オーケストラを学んでいてロールに苦労している人、いままで以上に新しいフィルのアイディアを欲しい人が使用すると、より効果的です。

オーケストラ、吹奏楽を学ぶパーカッショニストからロックドラマー、ジャズドラマーそしてラテンパーカッション、民族打楽器の演奏をしている人たちにお勧めの教則本です。

本書の内容

•ベーシック・シングル・ストローク・フィンガー（スティッキング）テクニック　•8分音符と16分音符のリズム、フラム、パラディドル、アクセント移動　•3，5，6、7連符のリズム・パターン、フラム、パラディドル、アクセント移動　•シングル・ストローク、ダブル・ストローク、シングル＋ダブルのコンビネーションの練習パターン集　•1拍半、2拍半フレーズ　•2ストローク・ロールから20ストローク・ロールなどパターン集　•左右独立した3，4，5、7、8連符コンビネーション

Music Progression Phrasesでは、新しい観点からドラマーやパーカッショニストに新しいアイディアを提供します。Music Progression PhrasesのさまざまなパターンをCDを参考に学ぶことができます。CDにはスネア・ドラム、ドラムセット、パーカッションなどの演奏が収録されています。

さまざまなスタイルのスネア演奏をアンサンブルで学ぶ

スネア・ドラムのためのデュエット＆アンサンブル

Snare Drum Duet & Ensemble　《模範演奏＆マイナス・ワンCD付》

大久保　宙：著・演奏

定価［本体3,000円+税］

リズム＆ドラム・マガジンのハンド・ドラム講座などでも注目のパーカッショニスト、大久保宙によるスネア・ドラムのためのメソッド第３段。既刊**スネア・ドラムのためのベーシック・リズム・メソッド**と**パーカッション＆ドラムスのためのリズム・パターン集**で基本のリズムとテクニックからさらに上級のテクニックを学んだ後は、本書でアンサンブルの楽しさを学びます。

デュエット、３人編成、４人編成、５人編成の練習曲が含まれているので、ブラス・バンドや音楽教室など、スネア・パートの人数に合わせた練習の方法を示しています。

付属のCDは、今までにない画期的な編集がなされ、それぞれのパートが１人でも練習できるようになっています。例えば、３人編成の練習曲では、アンサンブル・トラックと１パートだけを省いたマイナス・ワン・トラックがそれぞれ用意されているので、３パートすべてをアンサンブルの中の１つとして練習することができます。

ドラムセットのための
アフリカン・リズム《模範演奏CD付》
African Rhythm for Drumset

Christian Bourdon 著・演奏

定価［本体3,300円+税］

本書は、カメルーンやその他のアフリカの地域で演奏されるBikutsi、Mbala、Mangambeu、Ekang、Ashiko、Makossa、Tchamassi、Makassiのリズムを、ドラム譜とベース・パート譜で掲載されており、模範演奏ＣＤで本物のフィールとグルーヴを学ぶことができます。

あなたが演奏する音楽のスタイルが何であれ、それぞれのリズムを聴き取り、また感じ取るためのさまざまな方法を見つけだし、新しい創造性の扉を開きましょう。

「この本には本当にたくさんのいいリズム・パターンが掲載されています！そのほとんどは、私が今までに見たことも聞いたこともないようなものばかりでした。すばらしい！」 *Jim Chapin*

「この本は今までに知らなかったことを教えてくれるます。これは今まで知らなかったことを知るための旅に行くようなものです」 *Jack DeJohnette*

「心からのすばらしいフィーリングを受けます」 *Dom Famulana*

「Christianは我々のルーツを教えてくれました」 *Roy Haynes*

ピアノ、ギター、ベース、ドラムスのための
ブラジリアン・リズム・セクション《模範演奏&プレイ・アロング2CD付》
Inside the Brazilian Rhythm Section　*Nelson Fraia*、*Cliff Korman* 共著

演奏：*Nelson Faria* (Gt), *Cliff Korman* (Pf), *Paulo Braga* (Ds), *David Finck* (A. Bs), *Itaiguara Brandao*(E. Bs), *Café* (Perc)

定価［本体4,800円+税］

- 本書は、今までになかった驚異のブラジリアン・メソッドです!!　ベーシスト、ギタリスト、ピアニスト、ドラマーに、ブラジリアン・リズム・セクションのマスターたちと共演する機会を提供します。
- 付属の２枚のCDには、ピアノ、ギター、ベース、ドラムスの各楽器ごとに模範演奏とプレイ・アロング（マイナス・ワン）トラックが収録され、ソロと伴奏、両方の練習に完璧に機能します。Disc 1のギター／ピアノ用CDには、同じ曲の２つの異なるトラックが収録されています。１つはピアノ演奏なし、もう１つはギターなしのトラックです。Disc 2のベース／ドラムス用のCDには、１つはベースなし、もう１つはドラムスなしのトラックです。
- 本書には、CDに収録された練習曲のチャートと、実際のプレイからトランスクライブした各楽器の演奏例をはじめ、100ページ以上にわたって貴重な情報を提供しています。
- どんなレベルのミュージシャンであっても、ブラジリアン・ミュージックに最も共通な８つのスタイル（サンバ、ボサ・ノヴァ、パルチード・アウト、ショーロ、バイアゥン、フレヴォ、マルシャ・ハンショ、アフォシェ）を学びながら、インスピレーションと上達への手引きを得ることができるでしょう。

「長年にわたり、私たちはサンバやボサ・ノヴァ、その他ブラジリアン・リズムの影響に接してきました。それらのリズムの真の姿を探し求める者は、必ずや足を止めて本書に接することでしょう。そして付録のプレイ・アロング（マイナス・ワン）CDは、真の掘り出し物ともいえるでしょう」

Manny Albam（アレンジャー）

「本書の構成や編集方法がとても気に入っています。私にとってブラジル音楽を正しくつかむために必要な情報を十分に与えてくれるからです」

Lincoln Goines（ベーシスト）

「思わずベースを取り上げてプレイしたくなる！そんな気分にさせてくれる本です。ブラジリアン・リズムを学び、練習するための優れたメソッド、そして音楽教則に対する際だった貢献が、本書には満ち溢れています。まさに長年にわたって我々が求めていた本です」

John Patitucci（ベーシスト）

「皆さんが今手にしている本は、実に驚くべきものです。ブラジル音楽の複雑さを理解するだけでなく、ハーモニックな部分の巧妙さや、サンボ、ボサ・ノヴァや他のブラジリアン・リズムのすばらしいグルーヴをどのようにつかむか。Nelson FariaとCliff Kormanは、それらについてのすばらしい教則テキストを執筆してくれました。ブラジル音楽に真剣に取り組もうという学生たちにとっては必須の書です」

Kenny Barron（ピアニスト）

ドラムセットとパーカッションのための

ブラジリアン・リズム《模範演奏CD付》

Berklee / Brazilian Rhythms for Drum Set and Percussion

Alberto Netto 著

定価［本体4,200円+税］

本書は、最もポピュラーで影響力のあるブラジリアン・リズムを、伝統的なブラジルのパーカッションとドラムセットで学ぶことができます。ブラジリアン・ミュージックが世界的に広まるにつれ、世界中のドラマーやさまざまなジャンルのミュージシャンがブラジリアン・リズムを取り入れてきました。このパーカッションのリズムがどのように展開し、独特のブラジリアン・サウンドの中で発展していったか、そのドラムセットへの応用の仕方を学ぶことができます。

ブラジリアン・パーカッションに不可欠な、以下のテクニックやスタイルを学ぶことができます。

• ハンド・パーカッション • ブラジリアン・ミュージックのすべてのリズムのルーツであるサンバ • ブラジル北東部で生まれた有名な音楽のフォホー • パレード、クラブ、ストリート・ダンシングで演奏されるカーニヴァル ・リズム • アフロ・ブラジリアン文化直系のリズムである、アフロ・ブラジリアン・リズム • 宗教的行事と伝統を基にした音楽である、カトリック・ミュージック

リズム、スタイル、楽器、テクニック、パフォーマンスについての実践的ガイド

ブラジリアン・パーカション《模範演奏CD付》

Brazilian Percussion

Gilson de Assis 著

定価［本体4,000円+税］

本書では、ブラジルのさまざまな地域と伝統的な文化から、もっとも重要なリズムを取り上げています。ブラジル音楽について現存する文献は豊富ですが、本書の目的は、リズム、スタイル、楽器、そしてテクニックなど、本物のブラジリアン・パーカッションのパフォーマンスについての洞察のために実践的なガイドを提案することです。本書で紹介されているリズムのほとんどは、アフロ・ブラジリアン・リズムと呼ばれているもので、それらのリズムは起源であるアフリカの色を強く残しながら、ブラジルで独自に発展していきました。その他のリズムは、紛れもなくアフリカのリズムの要素を強く取り入れながらも、明らかにその起源がヨーロッパにあるものです。

付属のCDには、最初にゆっくりのリズムの演奏が収録され、次に通常のテンポで演奏したヴァージョンが収録されています。本書は初心者や、ジャズ、ポップ、アフロ、ラテンなど、異なるジャンルのドラマーとパーカッショニスト、そしてブラジル音楽の演奏のスキルや解釈上の洞察、知識を深めたいと思っているブラジル音楽の解説者などにも使うことができます。

本書の主な内容

• リオ・デ・ジャネイロのサンバ・スクール • バイーアのサンバ・ヘギ（サンバ・レゲエ）• ペルナンブーコのマラカトゥ・ヂ・バーキ・ヴィラード • アタバーキのリズム • ビリンバウ・リズム（トッキ）• 北東部のリズム • マラニャォンのブンバ・メウ・ボイ • 強調と自立のための練習

さまざまな音楽スタイルを求めて

ブラジリアン・ミュージック・ワークショップ《CD付》

Brazilian Music Workshop

Antonio Adolfo 著

定価［本体4,500円+税］

ブラジルはその豊富な天然資源と同様に、豊富な文化ももっている国です。ヨーロッパ、アフリカ、北米、そしてブラジル先住民の影響を受けたブラジリアン・ミュージックは、無数のスタイルをもっています。本書では、すでに世界中で知られるブラジリアン・ミュージックだけではなく、まだブラジル以外ではあまり知られていないスタイルについても紹介します。

本書に収録された主なスタイル

サンバ、ボサ・ノヴァ、パルチード・アウト、ショーロ、バイアォン、アフォシェ、他

直輸入版のご案内

以下の商品は、直輸入版につき、通信販売のみのお取り扱いとなります。
詳細は、ホームページ http://www.atn-inc.jp または FAX 03-3475-6983 にてお問い合わせください。

All About Bongos ［オーディオ・ヴィジュアルCD付］

by Kalani

チューニング・ヴァリエーション、ハンド・ポジションや基本パターンなどの基礎から、オープン・トーン、エッジ・トーンなどのミックス・パターンやメンテナンス、皮の張り替え方まで、初心者に必要なボンゴに関するすべて要素が収められています。

付属のオーディオ・ヴィジュアルCD（エンハンスドCD)には、すべての演奏パターンの模範演奏の映像と音が収録されています。

アーサー・ハル　ファシリテーション・ビデオ（VHS）

Creating Community Through Rhythm-based Events

Drum Circle Facilitation

based on the facilitation training techniques of Arthur Hull

アーサー・ハル・スタイルのドラムサークル・ファシリテーションが具体的にわかる教則ビデオ。
ビデオの撮影・プロデュースは、バリー・ビットマン博士です。

アーサー・ハル　ハンド・ドラム即興演奏導入ビデオ（VHS）

Arthur Hull's Guide to Endrummingment

ドラムサークルの第一人者、アーサー・ハルが紹介する、ハンド・ドラム即興演奏への導入ビデオ。 従来の「学ぶ、習う」を超えた、リズムおよびドラミングへのアプローチ方法がわかります。

リズム・ゲームとEndrummingment概念の解説ブックレット（英語）付き。

DVD版

さまざまな角度から奏法を確認できる教則DVD

John Yost Teaches West African Rhythms

西アフリカのDjembeとDundunのリズムの教則DVD。Djoe、Kakilambe(Baga)、Moribayassa、Soko、Soli Rapide(ballet Style)についても収録されています。

それぞれのリズムにはスロー・バージョンとファスト・バージョンが収められているので、模範演奏後に自分で演奏するのも大変やりやすいものとなっています。

Djembeのパートでは、スクリーンがいろいろな角度に分割して表示されるので、さまざまな方向から奏法を確認することができます。

ATN, inc.

すぐにわかるジェンベの世界
オール・アバウト・ジェンベ
All About Jembe

発　行　日　2007年 3月20日（初版）

著　　　者　Kalani
翻　　　訳　佐々木　薫
監　　　修　大久保　宙
制　　　作　早川　敦雄
発行・発売　株式会社 エー・ティー・エヌ
© 2002 by ATN,inc.
住　　　所　〒161-0033
東京都新宿区下落合 3-12-21 目白エミネンス 102
TEL 03-6908-3692 / FAX 03-6908-3694
ホーム・ページ　http://www.atn-inc.jp

3565

＊万一、乱丁・落丁がありました時は、当社にてお取り換えいたします。©無断複製・転載を禁じます。

ISBN4-7549-3565-8